URSZULA M

D1235337

DIET COACHING

Poradnik dla wiecznie
odchudzających się

samo•**sedno**

Redaktor prowadzący: Renata Kicka
Redakcja: Maria Wójcik, eKorekta24.pl
Korekta: Łukasz Mackiewicz, eKorekta24.pl
Opracowanie graficzne: Eliza Goszczyńska, Grażyna Faltyn
Skład, łamanie, rysunki: Joanna Królak
Opracowanie koncepcji okładki: Krzysztof Zięba, TonikStudio.pl
Adaptacja okładki: Greatidea Tomasz Kaczmarczyk
Zdjęcie na okładce: www.istockphoto.com © Jacob Wackerhausen
Współpraca: Maria Gładysz

Samo Sedno
Edgard
ul. Belgijska 11
02-511 Warszawa
tel./fax: (22) 847 51 23
e-mail: samosedno@samosedno.com.pl

ISBN 978-83-7788-096-8
wydanie I
Warszawa 2012

Córce Oleńce i siostrze Oli z wdzięcznością za dzielenie się
życiem i pomysłami, za miłość, mądrość i wsparcie
we wszystkich moich poczynaniach.

Podziękowania

Napisanie poradnika było dla mnie niezwykłym doświadczeniem. Nie doszłoby do niego bez udziału kilku osób.

Pragnę wyrazić szczególną wdzięczność moim rodzicom, Helenie i Aleksandrowi, którzy rozbudzili we mnie zainteresowania odżywianiem dla zdrowia.

Z przyjemnością dziękuję wszystkim wspaniałym uczestnikom prowadzonych przeze mnie treningów, kursów i sesji diet coachingu, którzy tak dużo mnie nauczyli.

Specjalne podziękowanie kieruję do zespołu redakcyjnego pracującego nad książką za rady i wskazówki, które sprawiły, że pisanie tego poradnika było dla mnie wspaniałą przygodą.

Urszula Mijakoska

Spis treści

Wstęp

W chwili, kiedy pojawiła się w mojej głowie myśl o połączeniu wiedzy i kompetencji coachingowych z wiedzą dotyczącą żywienia człowieka, wiedziałam, że tym tematem pragnę się zajmować ze wszystkich sił. Zadecydowałam, że opracuję program coachingowy oparty na wiedzy dietetycznej, który będzie wsparciem dla ludzi w ich procesie zmiany związanej z wagą ciała, ze stylem życia, z poznaniem zasad zdrowego odżywiania na różnych etapach życia (m.in. w okresie menopauzy), z rozwojem osobistym, z chęcią dobrego czucia się z samym sobą. Ucząc ludzi świadomego odżywiania, motywuję i wspieram ich po to, by zaczęli świadomie kontrolować swoje życie, by odkryli i doświadczyli, jak wiele umiejętności posiadają, jak ogromna jest ich wewnętrzna mądrość. Poprzez uważne i świadome działanie możesz dostrzec wszelkie przeszkody i bariery stojące na twojej drodze. Jeżeli je dostrzeżesz, będziesz mógł je nazwać i usunąć. Problemy nie znikną, ale staną się sprawami do załatwienia. Program diet coachingu przyczynia się do wzrostu poczucia własnej wartości, odzyskania wiary w siebie, wreszcie do pokochania siebie samego. Cały proces powinien trwać i rozwijać się przez całe życie.

Wielu osobom, z którymi pracowałam, towarzyszyła myśl: „Nie mam czasu, ciągle się spieszę". Gdy nauczyli się świadomie jeść i ćwiczyć, akceptować swoje ciało, nazywać własne uczucia i potrzeby, troszczyć się o siebie – odkryli, co oznacza czuć się dobrze ze sobą.

Wierzę, że poradnik, z którym krok po kroku zbudujesz swojego wewnętrznego diet coacha, pomoże ci w podejmowaniu odpowiedzialnych decyzji dotyczących świadomego odżywiania. Tylko TY możesz dokonać zmiany w swoim życiu. Informacje i ćwiczenia znajdujące się w tej książce pozwolą ci dowiedzieć się więcej o sobie i swoich nawykach żywieniowych, które zawsze możesz zmienić tak, by czuć się dobrze ze sobą w każdej chwili i w każdych okolicznościach.

Poradnik został napisany w formie zbliżonej do indywidualnych sesji diet coachingu czy też warsztatów, które prowadzę. Wszystko po to, byś mógł stopniowo poznawać siebie i zmieniać to, co uznasz za stosowne. Kolejne rozdziały pozwolą ci na dokonywanie zmian w odpowiednim dla siebie tempie. Zwracaj uwagę na rady i podsumowania zawarte w każdym rozdziale. Pozwól sobie na wdrażanie ich do swojego życia uważnie, w bezpieczny dla siebie sposób. Gdy pojawi się niechęć do dalszej pracy, przyjmij, że jest to kolejny etap procesu, i idź dalej. Zapomnij o krytykowaniu siebie na rzecz rozwijania w sobie nowych umiejętności świadomego jedzenia. Jeśli robisz jedną rzecz „tu i teraz", to rób ją w sposób świadomy i uważny. Pamiętaj, by twojej pracy towarzyszyły uśmiech i radość.

Z pierwszego rozdziału dowiesz się, czym jest diet coaching i jakie korzyści przyniesie ci proces budowania wewnętrznego diet coacha. Określisz również swój plan działania.

W rozdziale drugim zawarte są informacje dotyczące podstawowych składników odżywczych, normy ich spożycia oraz wskazówki, jak radzić sobie, gdy ciągle masz ochotę na coś słodkiego. Dowiesz się także, czym jest ciąg do jedzenia i gdzie znaleźć naturalne antyoksydanty. Znajdziesz tu dane na temat diet proteinowych, które były/są tak popularne w ostatnich latach.

Stosując ćwiczenia z rozdziału trzeciego, będziesz mógł rozwijać nowe nawyki żywieniowe poprzez obserwację siebie i własnych zachowań. Dowiesz się również, na jakich fundamentach zbudujesz swojego wewnętrznego diet coacha. W tej części poradnika znajdziesz informacje dotyczące stresu i sposobów radzenia sobie z nim zarówno poprzez dietę, jak i poprzez zmianę dotychczasowych złych przyzwyczajeń.

Rozdział czwarty to program długoterminowej zmiany wagi ciała. Dowiesz się, jak łączyć produkty, by były lekkostrawne, jak komponować swój talerz zdrowia, by przyniósł oczekiwane rezultaty, oraz jak określić wielkość porcji.

W procesie zmiany pojawiają się też różnego rodzaju trudności i o nich właśnie przeczytasz w piątym rozdziale. Wykonując ćwiczenia, które zamieściłam w tej części poradnika, możesz zbudować swój program motywacyjny, nauczyć się zmieniać bierność w działanie i brać za siebie odpowiedzialność.

Wszystkie powyżej przedstawione części poradnika mają na celu przygotowanie cię do uruchomienia wewnętrznego diet coacha i tym właśnie zajmiesz się w rozdziale szóstym. Zaczniesz od zapisywania tego, co jesz, i od obserwowania emocji towarzyszących jedzeniu. Nauczysz się przeżuwać, przećwiczysz świadome i uważne jedzenie. Dowiesz się, jak rozwijać praktykę uważności każdego dnia. Kolejnym krokiem w budowaniu wewnętrznego diet coacha jest dbałość o ciało poprzez oddychanie przeponą i ćwiczenia fizyczne. Zdobędziesz też niezbędną wiedzę o tym, co robić, by mieć kontrolę nad jedzeniem.

Działając w zaproponowany przeze mnie sposób, masz możliwość obserwowania zmiany swoich zachowań, zdobycia wiedzy dotyczącej wyboru żywności, bycia aktywnym fizycznie, przyjęcia postawy: „wybieram, postanawiam, decyduję". W trakcie procesu budowania wewnętrznego diet coacha nauczysz się ponownie słuchać swojego ciała, dowiesz się, co znaczy jeść przy pomocy intuicji, zrozumiesz, jak wpływa ona na twoją wagę. Zadasz sobie pytania dotyczące głodu, zależności pomiędzy nastrojem a jedzeniem i ilością spożywanego pokarmu.

Życzę ci, by poznanie i zrozumienie siebie dało ci możliwość innych, nowych wyborów, świadomych i zgodnych z twoimi potrzebami, a świadome odżywianie sprawiało ci radość każdego dnia.

Uwaga: Zawarte w poradniku wskazówki związane z odżywianiem i wykonywaniem ćwiczeń mają charakter informacyjny. Nie zastępują one indywidualnej diagnozy lekarskiej.

Rozdział 1
Istota diet coachingu

Z tego rozdziału dowiesz się:

> czym jest diet coaching;

> na czym polega rozwijanie wewnętrznego diet coacha;

> od czego zacząć zmianę;

> jakie korzyści wynikają z budowania wewnętrznego diet coacha.

Czym jest diet coaching?

Większość z nas wie, co mogłaby robić, by zdrowiej żyć. Teoretycznie wiemy, ile i jak jeść, w jakim stopniu być aktywnym fizycznie itp. Dlaczego więc na co dzień nie przekładamy tej wiedzy na praktykę? Okazuje się, że sama wiedza nie prowadzi do zmiany zachowania. W swoim życiu jesteś pod wpływem wielu środowisk preferujących różne style żywieniowe, masz różnego rodzaju nawyki i przyzwyczajenia. Tym bardziej ważne jest, byś nauczył się wybierać taką żywność, która wzmacnia, daje witalność.

Diet coaching łączy wiedzę o człowieku i o żywności, jest kluczem nie tylko do odchudzania, lecz także do zdrowego stylu życia. Pomaga w zrozumieniu samego siebie – wyjaśnia, dlaczego postępujesz w niekorzystny dla siebie sposób, pomimo że zdajesz sobie sprawę ze szkodliwości takiego działania.

Zapamiętaj

Istotą diet coachingu jest wzbudzenie motywacji do zmiany na trzech płaszczyznach: odżywiania, przekonań i zachowania oraz ugruntowanie nowych nawyków. Unikalność tej metody polega na tym, że w odróżnieniu od większości programów mających za cel kontrolowanie wagi utrata masy ciała nie jest tu najważniejsza. Kluczową sprawą jest stworzenie indywidualnego programu odżywiania.

Diet coaching uczy, jak jeść w sposób naturalny i swobodny, tak by jedzenie było przyjemnością i nie wiązało się z poczuciem straty czy wyrzeczenia.

Już w 2003 r. na forum Światowej Organizacji Zdrowia (WHO) stwierdzono, że oprócz porad i wiedzy człowiekowi potrzebne jest jeszcze poznanie własnego ciała i świadome stosowanie diety. Jednak to jeszcze nie oznacza diety cud. W trakcie procesu diet coachingu:

1. Poznasz siebie i swoje ciało.

2. Odkryjesz moc wewnętrznej motywacji i weźmiesz odpowiedzialność za to, co robisz.

3. Nazwiesz przeszkody, które utrudniają proces zmiany, i poczujesz chęć do działania.

4. Doświadczając „bycia uważnym" (bycia „tu i teraz", a nie „tam i wtedy"), w pełni poczujesz swoją sprawczość.

5. Od tej pory będziesz coraz więcej wiedział o sobie i zyskasz świadomość tej wiedzy. Odpowiedzi na wiele pytań staną się jednocześnie motorem i paliwem, a tym samym dadzą ci możliwość wyboru, tym razem świadomego. To ty zaczniesz wybierać i przestaniesz stosować się do wskazówek tylko dlatego, że „tak trzeba".

6. W trakcie procesu zaczniesz dbać o siebie, o swoje ciało, odkryjesz na nowo własne potrzeby, przypomnisz sobie dawno porzucone marzenia, podejmiesz wyzwanie, zrobisz krok naprzód i przekroczysz pewną granicę.

7. Pokonanie różnych przeszkód da ci możliwość rozwoju, doświadczenia zmiany i wszystkiego, co ta zmiana ze sobą niesie.

W trakcie tej zmiany zadbasz o wsparcie najbliższych osób. Rezultatem będą nowe możliwości, poczucie sprawczości, odpowiedzialność, wiara w siebie i poczucie własnej wartości.

Zapamiętaj

> Diet coaching to proces, w którym krok po kroku rozwijasz swoje kompetencje (wiedzę, umiejętności i postawy) w zakresie nowego, zdrowego sposobu odżywiania i stylu życia. Z pomocą tego poradnika zbudujesz swojego wewnętrznego diet coacha, zrozumiesz własne potrzeby żywieniowe oraz stworzysz plan odżywiania, który będzie odpowiadał twojemu stylowi życia.

Diet coaching opiera się na wiedzy dotyczącej prowadzenia coachingu, żywienia człowieka oraz elementach mentoringu. Mentoring stosowany w mojej metodzie rozumiem jako postępowanie wspierające wszechstronny rozwój osobisty, oparte na relacji równoprawnych partnerów, którzy rozwijają samoświadomość, szukają rozwiązań i podejmują działania służące odkrywaniu i rozwijaniu własnego potencjału.

Angielskie słowo „coach" ma następujące znaczenia: „trener", „autokar" i „powóz". „Powóz" to pierwotne znaczenie słowa „coach", które pochodzi od nazwy węgierskiego miasteczka Kócs. W tej miejscowości zbudowano pierwszy pojazd, który rozsławił jej nazwę na całym świecie. Potem słowem „coach" określano opiekunów i wychowawców pomagających swoim podopiecznym w trakcie sesji egzaminacyjnych. Następnie zostało ono zastosowane w sporcie – w odniesieniu do trenerów.

Coaching korzysta z wielu idei – m.in. z idei zadawania pytań i słuchania (dialogu) sięgającej czasów Sokratesa, który chciał być przy swoim rozmówcy, obserwować go i wspierać. W 1951 r. Carl Rogers opracował terapię prowadzoną w formie rozmowy, podczas której terapeuta parafrazuje słowa pacjenta i w ten sposób doprowadza go do weryfikacji jego spostrzeżeń i/lub formułowania nowych konkluzji. W latach 70. Timothy Gallwey w książce *Tenis. Wewnętrzna gra* proponował, by zadawać uczniom pytania zachęcające ich do zastanowienia się i wyciągania wniosków z dotychczasowych doświadczeń. Najistotniejszym momentem procesu nauczania jest dbałość o to, by uczeń nie tylko „mówił, co wie", lecz także „wiedział, co mówi". Uniwersalność metody Gallweya wynika z tego, że pomaga ona danej osobie w osiąganiu jak najlepszych rezultatów bez ocen i osądów.

Koncepcje te szybko zostały przeniesione na płaszczyznę biznesową i dziś istnieje na świecie wiele szkół coachingu. Obecnie jest on wykorzystywany w sporcie, biznesie, medycynie, dietetyce. Coachowie są obecni wszędzie tam, gdzie ludzie mają problem z osiąganiem swoich celów – zarówno w pracy, jak i w innych aspektach życia. W pewnym sensie są oni jak pojazdy – przenoszą ludzi z jednego miejsca w drugie. Można więc śmiało powiedzieć, że coaching to podróż.

Diet coaching to szczególna wyprawa, która przynosi zmiany zarówno w czasie jej trwania, jak i po jej zakończeniu. Zmieniamy się i – jak stwierdził antropolog Joseph Campbell w swojej pracy *Bohater o tysiącu twarzy* – istnieje pewien schemat dotyczący zmiany. Badając wiele mitów, Campbell zauważył, że od tysięcy lat ludzie przekazują sobie w formie legend i przypowieści zasady postępowania w trakcie zmiany. Aby pojawiła się zmiana, niezbędne jest wyzwanie. W diet coachingu może ono dotyczyć zdrowia, wiedzy o tym, jak odżywiać się zdrowo, zmiany diety, zmiany wyglądu czy po prostu zmiany stylu życia. Potrzebujemy odwagi, by to wyzwanie podjąć, by przekroczyć pewną granicę. Podjęcie decyzji o takim działaniu skutkuje pojawieniem się wielu pokus i trudności. Przekroczenie granicy jest jednak konieczne, a pomagają w tym inni ludzie, dając wsparcie i wskazówki. Na tym etapie często powtarzamy taką myśl, że gdy uczeń jest gotowy, pojawia się nauczyciel. Dopiero gdy poradzimy sobie z trudnościami, bogatsi o nowe doświadczenia i umiejętności możemy zakończyć podróż. Przeszliśmy bowiem proces zmiany samego siebie.

Rozwój wewnętrznego diet coacha w kilku krokach

W procesie budowania wewnętrznego diet coacha umiejętność czujnego reagowania na to, co dzieje się wokół ciebie i w tobie, jest szczególnie istotna. Proces ten opiera się na małych krokach, które tworzą trwałą zmianę zachowań prowadzących do zdrowszego stylu życia. Program łączy strategię rozwoju zdrowych nawyków żywieniowych z informacjami dotyczącymi świadomego zdrowego odżywiania oraz z aktywnością fizyczną.

Ze zdobywaniem nowych umiejętności jest jak z nauką chodzenia. Każdy, stawiając pierwsze kroki, bardzo chciał się wreszcie podnieść, samodzielnie zobaczyć to, co widzą pozostali, i wszystkiego dotknąć. Jako dziecko każdy z nas taką potrzebę po prostu miał w sobie. Mimo wielkiej chęci wiele razy ponosiłeś porażkę, dotkliwie upadając i nabijając sobie guza. Jednak nikt i nic nie było w stanie cię zniechęcić. Efektem takiego działania było coraz pewniejsze stąpanie. I tak krok po kroku nauczyłeś się chodzić i biegać. Ważnym elementem tego procesu były nagrody i pochwały. Nikt z nas nie słyszał w tym czasie porad w stylu: „Siedź sobie. Po co ci chodzenie? To nie dla ciebie, ja to zrobię lepiej, daj sobie spokój". Wsparcie otrzymane w trakcie procesu uczenia się było pełne życzliwości i miłości.

Przypominając sobie tamte chwile, być może razem z najbliższymi, dostrzegasz, że potrafisz zmierzać do celu bardzo konsekwentnie i z wielkim entuzjazmem. Jeśli zrobiłeś to kilka razy w swoim życiu, możesz to zrobić raz jeszcze, mierząc się tym razem z jedzeniem oraz wszystkimi emocjami, nawykami i przekonaniami z nim związanymi.

Ważne jest ćwiczenie nowych nawyków, które po pewnym czasie staną się częścią ciebie i twojego stylu życia. Efektywne uczenie się to potrzeba ciągłego wykorzystywania osobistych doświadczeń. To właśnie na nich możesz oprzeć swój rozwój. Wyciąganie wniosków z tego, co robisz, to kolejny punkt na drodze ku zmianie, ponieważ:

> wiedza o tym, jaka żywność ci służy, a jaka nie, umożliwi ci zarządzanie swoją dietą;

> jeśli nie zastanowisz się nad przyczynami tego, co się z tobą i wokół ciebie dzieje, nic się nie zmieni. Staniesz w miejscu.

Zapamiętaj

Cztery podstawowe kroki na drodze do zmiany to:
1. Refleksja nad swoimi doświadczeniami, przemyślenie dotychczasowego stylu życia i sposobu odżywiania.
2. Przeanalizowanie tego, co wiesz na swój temat, oraz określenie celu, który zamierzasz zrealizować.
3. Zaplanowanie działań tak, by zwiększyć swoje zasoby i zredukować ograniczenia.
4. Podjęcie decyzji i rozpoczęcie działań: ćwiczysz nowe zachowania dotąd, aż je w pełni opanujesz.

Jesteś w stanie zapamiętać 90% tego, czego doświadczasz. To dlatego doświadczenie własne jest tak istotne. Zdobycie praktyki sprzyja procesowi zmiany nawyków żywieniowych. Zadowolenie, poczucie pewności siebie i wewnętrzny spokój pozwalają ci wierzyć, że masz kontrolę nad własnym życiem. Wiedza umożliwi ci ugruntowanie nowych zachowań oraz zmianę nawyków i przekonań na takie, które na danym etapie twojego życia uznasz za pożyteczne. W następstwie takich działań wzrośnie poczucie samokontroli i odpowiedzialności.

Zapamiętaj

Program rozwoju wewnętrznego diet coacha obejmuje:

1. **Twój plan działania (jak zmienić się już dziś?)**
   W pierwszej kolejności należy przeprowadzić analizę aktualnego stylu życia/sposobu żywienia – twoich nawyków żywieniowych i stanu zdrowia. Analiza ta służy identyfikacji mocnych stron twojego odżywiania i obszarów, które wymagają zmiany. Będzie to pomocne w opracowaniu planu odżywiania odpowiadającego twoim celom.

2. **Zmianę postaw wobec zdrowia (twoje zasoby i ich zastosowanie)**
   W kolejnym kroku należy określić swoje zasoby. Ich identyfikacja – niezależnie od tego, czy chcesz schudnąć, przytyć czy też mieć więcej energii – pomoże ci wcielić twoje marzenia w życie. Rozwój wewnętrznego diet coacha zapewni ci poczucie sprawczości i wpływu na twoje życie.

3. **Uruchomienie wewnętrznego diet coacha (jak odzyskać energię do pracy i życia?)**
   Ostatnim punktem jest stworzenie – w zależności od sposobu odżywiania, stylu życia i celów – osobistego planu odżywiania, którym będziesz się

> cieszył przez całe życie. Plan odżywiania w odróżnieniu od większości programów kontrolujących wagę nie koncentruje się wyłącznie na dietetyce i utracie masy ciała. Jego unikalność polega na tym, że odnosi się do ciała, umysłu i ducha.

Celem procesu uczenia się jest osiągnięcie pożądanych zmian. Jeżeli wyobrazisz sobie, że zaczynasz jeść regularnie, to taka zmiana pociągnie za sobą również zmianę innych elementów twojego dotychczasowego życia, np. będziesz bardziej się o siebie troszczył. Zmiana zawsze dotyczy całości, a nie jedynie części. W związku z tym zmiana jednego elementu w danej części związana jest ze zmianą innych elementów całości.

Prawdą jest też stwierdzenie, że każdy z nas boi się zmian. Lubimy żyć w środowisku, które dobrze znamy. Nowe rzeczy nie zawsze są przez nas pożądane – ze względu na poczucie bezpieczeństwa i wiele innych czynników przestajemy działać. Nie doświadczamy nowych sytuacji, korzystamy z dobrze nam znanych przekonań i nawyków. Boimy się tego, co nowe. Zapraszam cię w podróż mimo tego lęku. Podejmij wyzwanie dotyczące zdrowego stylu życia i zmierz się z różnego rodzaju trudnościami, przeszkodami, ścieżkami na skróty, pokusami. Jeżeli tego zaniechasz, jakość twojego życia nie zmieni się na lepsze. Jeżeli natomiast wstąpisz na drogę zmiany, pojawią się różne osoby wspierające. Będziesz pokonywał kolejne przeszkody i tym samym zmieniał siebie. Będzie tak dopóty, dopóki nie poradzisz sobie z kryzysami. Wszystko po to, by przekształcić zagrożenia i trudności w zasoby.

 Przykład

W książce Alicja w krainie czarów[1] *Alicja, stojąc na rozstaju dróg, spytała Kota, którędy ma iść. Na to Kot odpowiedział:*
„– To zależy od tego, dokąd chcesz się dostać.
– Wszystko mi jedno… – odparła Alicja.
– W takim razie nie ma znaczenia, dokąd pójdziesz – rzekł Kot.
– …dokądkolwiek, byle DOKĄDŚ – wyjaśniła dodatkowo Alicja.
– Och, z pewnością dokądś dojdziesz – odpowiedział Kot – jeśli tylko będziesz szła dość długo".
Wyznaczenie celu ma ci pomóc ulepszyć życie, odpowiedzieć na pytanie, co jest dla ciebie najważniejsze.

Wkroczenie na drogę zmiany to działanie, a więc możliwość zdobywania wiedzy, uczenia się, odkrywania poczucia satysfakcji i zadowolenia. Świadome życie to działanie zgodne z wyznaczonymi przez siebie celami. Gdy wiesz, co chcesz osiągnąć, wiesz również, na czym się skupić. Zdajesz sobie też sprawę z tego, kiedy idziesz na skróty, kiedy z drogi do mety zbaczasz na dróżkę pokus i usprawiedliwień tego, że ci się zwyczajnie odechciało.

Ćwiczenie

Jeśli nosisz zegarek na lewej ręce, załóż go dziś na drugą rękę. Zaobserwuj, jak czułeś się na początku tej zmiany, a jak pod koniec dnia. Jakie wnioski możesz z tego wyciągnąć?

Jednym z podstawowych warunków zmiany osobistej jest wyznaczenie celu i stworzenie osobistego planu rozwoju. Określenie celu i podjęcie działania pomoże ci przejąć kontrolę nad życiem. Zamiast ofiary szukającej winnych staniesz się osobą odpowiedzialną za to, co robisz. Wszystko po to, by rozwijać swoją samoświadomość, czyli zrozumieć siebie, swoje emocje, ograniczenia, zdolności, wartości i motywy działania. Być człowiekiem samoświadomym oznacza też żyć w zgodzie ze sobą, działać zgodnie ze swoimi wartościami, być sobą i umieć się śmiać ze swoich słabości.

Co jest dla ciebie ważne?

W tym miejscu proponuję ci „Ankietę na dobry początek". Poświęć trochę czasu, aby rzetelnie odpowiedzieć na pytania dotyczące twojego stylu życia. Przynajmniej na jednej stronie A4 zapisz odpowiedzi na każde poniższe pytanie. Dopisz też swoje wnioski.

> Jakie masz umiejętności? Pomyśl o każdym możliwym kontekście.

> Jaką posiadasz wiedzę? Pomyśl o przebiegu swojej edukacji, zdobytej wiedzy specjalistycznej i o tym, czego nauczyłeś się na „uniwersytecie życia", uwzględnij też informacje odnoszące się do twojego sposobu odżywiania i wiedzy w tym zakresie.

> Sporządź listę osób (które znasz i których nie znasz, np.: diet coachów, dietetyków, lekarzy, psychologów, przyjaciół itd.), do których mógłbyś się zwrócić o wsparcie w trakcie procesu zmiany.

> Gdy skończysz, pomyśl, w jaki sposób cokolwiek z tego, co napisałeś, może być twoim zasobem w obecnej sytuacji.

Wszystkie twoje odpowiedzi pozwolą ci się dowiedzieć, o czym marzysz, wyzwolą entuzjazm i radość do działania. Odkryjesz, jaką osobą chcesz być, gdy podejmiesz decyzję o zmianie swojej diety lub poprawie stanu zdrowia czy też potrzebie dobrego samopoczucia. Bez zajrzenia w głąb siebie trudno ci będzie trwale zmienić swoje nawyki żywieniowe.

Każdy z nas, gdy chce zmienić coś w swoim życiu, np. sposób myślenia na temat jedzenia, musi stawić czoła swoim negatywnym myślom, nawykom i przekonaniom. Trwała zmiana będzie możliwa wtedy, gdy będziesz głęboko ufał sobie i wierzył w osiągnięcie celu. Jest to bardzo ważne szczególnie w początkowej fazie.

Pewność, że opisany i wyobrażony przez ciebie cel jest naprawdę twój i tylko twój, to podstawa sukcesu. Jeżeli chcesz zmienić coś w swoim wyglądzie, diecie, stylu życia, bo „tak powinieneś" albo dlatego, że prosi cię o to bliska osoba – wpadasz w pułapkę. Z upływem czasu zwykle przestajesz się starać i próbować nowych rozwiązań, zapominasz o swoim prawdziwym celu, o swoich marzeniach. W twoim życiu nie ma autentyczności i energii, pojawia się sprzeciw, znużenie albo zobojętnienie.

Kolejny ważny krok to określenie twoich mocnych stron, które pomogą ci w realizacji celu, które wykorzystasz, na których będziesz się opierał w zdobywaniu codziennych doświadczeń związanych ze zmianą diety. Swoje mocne strony porównaj ze słabymi, zastanów się, które nawyki i zachowania dotyczące jedzenia chcesz zmienić, a które zaadaptować do potrzeb świadomego odżywiania.

Na pewno masz cechy, których nie chcesz zmieniać, i jednocześnie zauważysz takie, które ci nie służą w procesie zmiany. Te wszystkie słabości, które dostrzeżesz, należą do ciebie i tylko ty możesz je zmienić. Takie uświadomienie sobie swoich atutów i słabości ma ogromny wpływ na dalsze działanie. Praca nad sobą wymaga cierpliwości, więc się nie spiesz. Zrób analizę w swoim tempie, tak by wszystkie puzzle zostały ułożone w obraz nakreślający twoją drogę do celu. Możesz też zapytać bliskich o to, jak cię postrzegają.

Istotne jest również to, by nie skupiać się tylko na swoich słabych stronach. Prowadzi to bowiem do pobudzenia prawej okolicy przedczołowej mózgu, a rezultatem jest uczucie niepokoju, opór lub bunt i spadek motywacji. W dalszej kolejności zahamowany zostaje proces zmiany. Jeśli myślisz o sobie wyłącznie negatywnie, wpadasz w pesymizm i zaczynasz narzekać, a to nie pomoże w osiągnięciu sukcesu. Natomiast jeśli myślisz o swoich zaletach i możliwościach – pobudzasz lewą okolicę przedczołową mózgu, co wyzwala chęć do działania, doświadczania nowych zachowań, do rozwoju i realizacji określonych działań. Wówczas pojawia się uczucie nadziei, które mobilizuje cię do wysiłku mimo wielu przeszkód.

Ćwiczenie

Ustal własne zasady odnośnie do zdrowego stylu życia[2]

1. Zapisz siedem wartości, którymi kierujesz się w swoim życiu i które chcesz wykorzystać w trakcie budowania wewnętrznego diet coacha. Uporządkuj je od najważniejszej do najmniej ważnej.
2. Następnie pomyśl, czy są to wartości, którymi kierujesz się na co dzień, czy też takie, o których tylko lubisz mówić.
3. Napisz teraz krótki tekst o tym, jak chciałbyś się odżywiać przez resztę swojego życia, uwzględniając swoje dwie najważniejsze wartości.
4. Następnie przeczytaj notatki i zastanów się, co już dziś możesz wprowadzić w życie.
5. Taka wizja może stać się dla ciebie drogowskazem pomagającym wprowadzać do swojego stylu odżywiania trzy magiczne słowa: **wybieram, postanawiam, decyduję.**

Twój plan działania

Kolejny krok to napisanie planu działania, w którym skupisz się na rozwijaniu swoich mocnych stron, a więc na kolejnych etapach prowadzących do zdrowego stylu życia.

Zapamiętaj

Pisząc swój plan działania:

> skup się na swoich umiejętnościach, a nie na efektach;

> bądź w 100% pewny, że cel, który chcesz osiągnąć, jest celem twoim, a nie kogoś innego;

> zadbaj o to, by twój plan rozwoju dotyczący zdrowego stylu życia był elastyczny i realny;

> pamiętaj, że to, co zaplanujesz każdego dnia, ma być możliwe do zrealizowania;

> dopasuj swój plan do codziennych obowiązków;

> każdego dnia podejmuj działania przybliżające cię do celu.

Twoje nowe doświadczenie przyczyni się do zmiany starych, szkodliwych nawyków na nowe, które będą zgodne z twoimi wartościami i przekonaniami. Twój program, niezależnie od tego, czy dotyczy zmiany stylu życia, czy też osiągnięcia określonej wagi ciała lub poprawy stanu zdrowia, opracuj tak, by składał się z konkretnych i możliwych do wykonania etapów.

Gdy już ustalisz swój plan działania, odpowiedz sobie na jeszcze jedno pytanie: co ważnego zyskasz dzięki temu, że osiągniesz swój cel?

Zapamiętaj

> Rób dalej to, co robisz, najlepiej, jak umiesz. Pamiętaj o uśmiechu i o codziennej praktyce.

Korzyści z budowania wewnętrznego diet coacha

W trakcie diet coachingu nauczysz się: słuchać swojego ciała, dowiesz się, co znaczy „jeść intuicyjnie", zrozumiesz, jak taki sposób jedzenia wpływa na odchudzanie. Zadasz sobie wiele pytań dotyczących głodu, zależności między nastrojem a jedzeniem – jego jakością i ilością. Zrozumiesz siebie, a ta wiedza da ci możliwość innych wyborów, świadomych i zgodnych z twoimi potrzebami.

Zapamiętaj

Korzyści z budowania wewnętrznego diet coacha:

> Świadome obserwowanie zmiany w swoim zachowaniu.
> Zdobycie wiedzy dotyczącej wybierania żywności.
> Aktywność fizyczna.
> Przyjęcie w życiu postawy: **wybieram, postanawiam, decyduję.**
> Dbanie o środowisko.

Podsumowanie

W trakcie diet coachingu potrzebne ci będą:

1. Wiedza dotycząca zdrowego odżywiania.
2. Określone umiejętności:
   > Praca z samym sobą w oparciu o cele, wartości i przekonania.
   > Wyznaczanie sobie określonych i realnych zadań.
   > Wykorzystywanie wiedzy o swoich mocnych stronach i zasobach.
   > Uświadomienie sobie swoich słabych stron.
   > Troska o samego siebie.
   > Zapewnienie sobie wsparcia i pomocy w trakcie procesu zmiany.
   > Ćwiczenie obecności i uważności.
   > Zwracanie uwagi na swoją intuicję.
   > Odczytywanie sygnałów płynących z ciała.
   > Uświadamianie sobie odpowiedzialności za ustalone zadania i działania.
3. Nauczenie się czerpania satysfakcji z odnoszonych sukcesów.
4. Podejmowanie decyzji o zmianie określonego zachowania.
5. Nazywanie przeszkód utrudniających zmianę.

Rozdział 2
Diet coaching a zdrowy styl życia

Z tego rozdziału dowiesz się:

> jakie czynniki stanowią podstawę zdrowego stylu życia;

> co oznacza „bycie zdrowym";

> jakie są podstawowe składniki odżywcze;

> co zrobić, by skutecznie zmniejszyć apetyt na słodycze;

> jak powstaje tzw. ciąg do jedzenia;

> jak diety proteinowe wpływają na zdrowie.

Podstawowe czynniki zdrowego stylu życia

Czynniki stanowiące podstawę zdrowego stylu życia to:

1. Świadome odżywianie – wiedza dotycząca samego siebie i tego, jaką żywność twój organizm toleruje; spożywanie naturalnej, świeżej żywności, picie czystej wody mineralnej; rozwój świadomości emocjonalnej.
2. Wybieranie zdrowej żywności – usunięcie z jadłospisu źródeł wszelkich toksyn; wiedza dotycząca pochodzenia spożywanej żywności, jej składu, wartości odżywczej i energetycznej, zawartości konserwantów i ulepszaczy, drożdży itd.
3. Zmiana nastawienia psychicznego – a więc: więcej optymizmu, mniej stresu i narzekania, więcej wiary w siebie, większe poczucie własnej wartości.
4. Regularne ćwiczenia fizyczne (lepsza przemiana materii) oraz techniki relaksacyjne – ćwiczenie uważności poprzez bycie „tu i teraz", nauczenie się radzenia sobie ze stresem.
5. Więcej zdrowego snu, poprawa stanu zdrowia – jako wynik powyższych działań.

Badania przeprowadzone w USA wykazują, że osoby stosujące się do powszechnie uznanych norm żywieniowych wynikających z piramidy żywienia nie osiągają znaczącej poprawy stanu zdrowia. Można to wyjaśnić brakiem informacji na temat jakości żywności. Zalecenia dietetyczne pozwalają bowiem na stosowanie produktów z rafinowanych zbóż (biały ryż, chleb i makarony z białej mąki), które przyczyniają się do rozwoju cukrzycy i otyłości. Podobna sytuacja ma miejsce w przypadku olejów i tłuszczy, z których większość jest przetwarzana. Innym aspektem związanym z jakością pożywienia jest zawartość hormonów, pestycydów i antybiotyków w wielu produktach nabiałowych i mięsnych oraz brak czytelnej informacji w przypadku żywności modyfikowanej genetycznie. Kluczowe w świadomym odżywianiu się jest zespolenie wiedzy o żywności z wiedzą o samym sobie[3].

Co oznacza „bycie zdrowym"?

Światowa Organizacja Zdrowia – WHO – w konstytucji z 1948 r. określiła zdrowie jako „całkowity dobrostan fizyczny, psychiczny i społeczny", a nie wyłącznie „brak choroby lub niedomagania". Wybitny polski teoretyk medycyny społecznej, Marcin Kacprzak, wprowadził definicję zdrowia, zgodnie z którą „zdrowie to nie tylko brak choroby lub niedomagań, ale i dobre samopoczucie oraz taki stopień przystosowania biologicznego, psychicznego i społecznego, jaki jest osiągalny dla danej jednostki w najkorzystniejszych warunkach"[4].

Zapamiętaj

Za zdrowie fizyczne uważa się prawidłowe funkcjonowanie organizmu, jego układów i narządów. W obrębie **zdrowia psychicznego** wyróżniamy:

> **zdrowie emocjonalne**, czyli zdolność do rozpoznawania uczuć oraz ich wyrażania w odpowiedni sposób, umiejętność radzenia sobie ze stresem, napięciem, lękiem, agresją i depresją;

> **zdrowie umysłowe**, czyli umiejętność logicznego i jasnego myślenia;

> **zdrowie społeczne**, czyli zdolność do nawiązywania, podtrzymywania i rozwijania prawidłowych relacji z innymi ludźmi;

> **zdrowie duchowe**, u niektórych związane z wiarą i praktykami religijnymi. Oznacza również zasady i sposoby osiągania wewnętrznej równowagi i spokoju.

Potocznie zdrowie określa się jako „ogólny stan dobrego samopoczucia". Czujesz się zdrowo, gdy nie chorujesz i jesteś sprawny fizycznie. Dlatego bardzo ważna jest codzienna profilaktyka, mająca na celu poprawę stanu zdrowia. Aby zrozumieć znaczenie odżywiania dla zdrowia, trzeba mieć wiedzę o żywności i żywieniu. Głównym warunkiem zachowania zdrowia jest dostarczanie swojemu ciału – poprzez pożywienie – optymalnych ilości witamin, niektórych aminokwasów, określonych kwasów tłuszczowych, substancji mineralnych, antyoksydantów i wody.

Zapamiętaj

Już Hipokrates powiedział, że żywność może być lekiem, a lek może być żywnością. Jeżeli chcesz być zdrowy, młodo wyglądać, żyć długo i szczęśliwie, dostosuj styl życia do swoich potrzeb.

W odżywianiu dla zdrowia najważniejsza jest świadomość. To fundament, na którym wszystko się opiera. Tak jak w budowie domu fundament jest najważniejszy, tak i na twojej drodze do zbudowania wewnętrznego diet coacha to właśnie świadomość odgrywa podstawową rolę.

O większości stosowanych diet można powiedzieć z góry, że zakończą się niepowodzeniem, ponieważ ludzie, którzy je stosują, w pierwszej kolejności potrzebują przejść proces zmiany, by odzyskać wiarę w swoje możliwości, pewność siebie i szacunek. Dopiero po przejściu takiej przemiany są w stanie dokonać długotrwałych zmian w zakresie sposobu odżywiania. Temu właśnie służy diet coaching.

Zapamiętaj

Diet coaching uczy, jak stosować praktyki rozwijające świadomość, jak zbudować własny fundament pomocny w systematycznej, zdyscyplinowanej pracy nad samym sobą, której rezultatem będzie długie i udane życie wspierane mądrą dietą.

Kolejnym elementem jest aktywność fizyczna – wręcz oczywisty element zdrowego stylu życia. Wszelkie formy ruchu mają ogromne znaczenie dla prawidłowego rozwoju ciała, układu trawiennego oraz zdrowia psychicznego każdego człowieka. Ten element w mojej metodzie diet coachingu jest bardzo istotny, dlatego piszę o nim osobno w dalszej części poradnika.

Pozostałe aspekty świadomego odżywiania są ściśle związane z żywnością. Chodzi o podstawowe składniki odżywcze, a więc witaminy, minerały, błonnik, antyoksydanty; węglowodany; białka oraz tłuszcze. W poradniku omówię przede wszystkim właściwości węglowodanów, białek i tłuszczy oraz znaczenie wody dla prawidłowego funkcjonowania organizmu.

Woda[5]

Woda to niezwykle istotny składnik ludzkiego organizmu – stanowi prawie 70% masy ciała. Ilość wody w organizmie zależy od wieku, płci i zawartości tłuszczu. Jakość wody pitnej jest niezwykle ważna i dlatego zwracaj uwagę na to, jaką wodę pijesz.

Woda pełni następujące funkcje w organizmie:

> jest bardzo dobrym rozpuszczalnikiem dla większości związków chemicznych;

> rozprowadza składniki organiczne i nieorganiczne po całym organizmie;

> jest niezbędna w procesie przemiany materii;

> usuwa z organizmu substancje toksyczne;

> uczestniczy w procesie trawienia;

> ułatwia przesuwanie masy kałowej;

> reguluje temperaturę ciała.

Powszechnie uznaje się, że osoba zdrowa w przeciętnych warunkach klimatycznych powinna wypijać 2,5 l wody na dobę. Jest to zalecenie dla większości ludzi, którzy jedzą dużo mięsa. Taka mięsna dieta może powodować wytwarzanie dużej ilości kwasu moczowego i innych szkodliwych substancji, które woda pomaga wypłukać.

To, jaką ilość wody należy wypijać, jest uwarunkowane indywidualnie. Najważniejszą zasadą dotyczącą picia wody jest obserwacja własnego ciała i picie wody wtedy, gdy odczuwa się pragnienie.

Na zapotrzebowanie na wodę wpływa:

> tryb życia – jeśli jest siedzący, to zapotrzebowanie jest mniejsze, a jeśli aktywność fizyczna jest duża, to zwiększa się potrzeba spożycia wody;

> dieta – ta, która jest oparta na większej ilości warzyw i owoców, powoduje zmniejszenie zapotrzebowania na wodę, natomiast spożywanie większej ilości mięsa, jaj i słonych pokarmów sprzyja piciu większych ilości wody;

> klimat – w gorącym, suchym i wietrznym klimacie pijemy więcej niż w wilgotnym i zimnym.

Zapamiętaj

Wodę najlepiej pić przynajmniej 30 minut przed jedzeniem lub godzinę po posiłku, w przeciwnym wypadku enzymy trawienne i inne wydzieliny zostaną rozpuszczone, a wówczas składniki odżywcze nie mogą zostać skutecznie pobrane z pożywienia. Osoby lubiące przyjmować płyny podczas posiłku mogą pić ok. połowy szklanki, najlepiej w postaci zupy, wody lub herbaty ziołowej.

Spożywanie dużej ilości wody może przyczynić się do spowolnienia trawienia, obniżenia poziomu energii całego ciała. Według medycyny chińskiej nadmiar zimnej wody i zimnych pokarmów wpływa na zwiększony apetyt na produkty pochodzenia zwierzęcego. Zbyt małe ilości wody mogą powodować zatrucie, zaparcia, napięcie, skurcze, przejadanie się, suchość, stany zapalne, gorączkę i odczucie nadmiernego rozgrzania. Z jednej strony picie wody wpływa na stan zdrowia, z drugiej – zdrowe funkcjonowanie ciała jest warunkiem skutecznego wykorzystywania i rozprowadzania wody.

Zapamiętaj

Do swoich codziennych nawyków dodaj poranne i wieczorne picie szklanki wody z sokiem z cytryny (sok z połówki cytryny na szklankę wody). Cytryna odkwasza organizm.

Węglowodany[6]

Są to związki organiczne zwane cukrami. Ze względu na wielkość cząsteczki rozróżniamy cukry proste, takie jak glukoza, fruktoza, galaktoza, mannoza, oraz złożone: sacharozę, maltozę, laktozę, skrobię, glikogen, celulozę itd.

Węglowodany przyswajalne

Węglowodany przyswajalne są głównym źródłem energii dla organizmu człowieka. W procesie trawienia są wchłaniane w postaci glukozy, a następnie utleniane do dwutlenku węgla i wody. Węglowodany codziennie dostarczają do 60% energii.

Są niezbędne do utleniania kwasów tłuszczowych. Gdy ilość spożywanych węglowodanów jest mniejsza niż 100 g/dobę, następuje niecałkowite spalanie kwasów tłuszczowych, co prowadzi do powstawania związków ketonowych, które zakwaszają organizm.

Organizm człowieka magazynuje tylko 350–450 g węglowodanów. Ta ilość wystarcza na 12 godzin, jeżeli zapotrzebowanie energetyczne wynosi 2800 kcal. Węglowodany w postaci glikogenu znajdują się w wątrobie, mięśniach, nerkach. Występują również w postaci glukozy w surowicy krwi, która jest jedynym źródłem energii dla mózgu oraz czerwonych krwinek. Mózg dorosłego człowieka potrzebuje ok. 140 g glukozy na dobę, a krwinek czerwonych ok. 40 g/dobę. Jeżeli ilość węglowodanów dostarczanych z pożywieniem jest niewystarczająca, organizm wyrównuje stężenie glukozy we krwi poprzez wykorzystywanie glikogenu z wątroby, syntetyzuje również glukozę z białek. Węglowodany spożywane w nadmiarze, szczególnie sacharoza, są przekształcane w tłuszcze i w tej postaci są odkładane w organizmie, co prowadzi do otyłości.

Węglowodany nieprzyswajalne

Węglowodany nieprzyswajalne – błonnik pokarmowy – to roślinne wielocukry i ligniny niepodatne na działanie enzymów trawiennych. Błonnik dzielimy na nierozpuszczalny i rozpuszczalny w wodzie.

Błonnik nierozpuszczalny w wodzie występuje w produktach zbożowych z pełnego przemiału, otrębach i odgrywa istotną rolę w działaniu układu trawiennego:

> aktywizuje żucie;

> wiąże wodę, co powoduje zwiększenie objętości treści pokarmowej w jelicie cienkim;

> absorbuje nadmiar kwasu solnego w żołądku;

> bierze udział w wytwarzaniu hormonów przewodu pokarmowego;

> powoduje zwiększone wydzielanie soków trawiennych;

> wpływa na ukrwienie jelit;

> pobudza perystaltykę jelita grubego, chroni przed zaparciami, polipami, żylakami odbytu, chorobą nowotworową i uchyłkowatością jelit, daje poczucie sytości.

Błonnik rozpuszczalny w wodzie występuje w: suchych nasionach roślin strącz-kowych; w owocach takich jak czarna i czerwona porzeczka, aronia, maliny, gruszki, winogrona; w warzywach: marchwi, dyni, burakach. Pełni następujące funkcje:

> rozluźnia masę kałową w jelicie grubym;

> pęcznieje w jelicie cienkim;

> powoduje większą gęstość treści pokarmowej;

> jest istotny w leczeniu biegunek, przyśpiesza wydalanie cholesterolu i tłuszczów z kałem;

> absorbuje znaczące ilości kwasów żółciowych;

> wpływa na spowolnienie procesu wchłaniania glukozy.

Zapamiętaj

Zgodnie z zaleceniami WHO ilość błonnika pokarmowego w dziennej racji pokarmowej to 27–40 g, a pektyn – do 15 g na dobę.

Społeczeństwa spożywające pokarmy, w których zawartość błonnika jest większa, rzadziej chorują na miażdżycę, chorobę niedokrwienną serca i zawały. Dieta uboga w błonnik pokarmowy, a więc spożywanie głównie żywności wysoko przetworzo-nej, sprzyja otyłości, miażdżycy, cukrzycy typu 2. Błonnik stwarza również właściwe warunki do rozwoju flory bakteryjnej jelit oraz zmniejsza wchłanianie tłuszczu. Więk-sza ilość błonnika na talerzu zmniejsza ryzyko zachorowania na nowotwory jelita grubego.

Źródła węglowodanów

Źródłem węglowodanów są:

> produkty roślinne – największe ilości węglowodanów znajdują się w zbo-żach (50–80%). Bogate w skrobię są suche nasiona roślin strączkowych (ok. 60%) oraz ziemniaki (ok. 16%)[7].

> owoce – w nich głównie glukoza i fruktoza; wyjątkiem jest sacharoza wy-stępująca w daktylach. W warzywach ilość cukrów to 4–12%, występuje w nich też skrobia i błonnik pokarmowy[8].

Wskazówka

Warto wiedzieć, że:
> Węglowodany należy spożywać głównie w postaci skrobi występującej w produktach zbożowych, ziemniakach, nasionach roślin strączkowych.

> Produkty zbożowe z grubego przemiału oprócz skrobi zawierają błonnik pokarmowy nierozpuszczalny, magnez, żelazo, witaminę B_1, niacynę i cynk.

> Suche nasiona roślin strączkowych mają wiele białka o dużej wartości biologicznej, tłuszcz, witaminy B_1, B_2, PP, składniki mineralne (Ca, P, Fe) oraz błonnik pokarmowy rozpuszczalny. Ziemniaki krótko przechowywane zawierają znaczne ilości witaminy C.

> Warzywa i owoce zawierają błonnik pokarmowy, P, Mg, karotenoidy i witaminę C.

> Według zaleceń sacharoza nie powinna dostarczać więcej niż 10% energii, ponieważ nie zawiera ona żadnych składników odżywczych. Sacharoza zwiększa w wątrobie syntezę lipoprotein będących źródłem miażdżycowego cholesterolu.

> Fruktoza zawarta w cukrze zwiększa stężenie triglicerydów w surowicy krwi. Unikanie cukrów szybko wchłaniających się chroni przed próchnicą i ułatwia utrzymanie odpowiedniej wagi[9].

Warto zwrócić uwagę na fakt, że metabolizm węglowodanów reguluje metabolizm białek i odwrotnie. Oznacza to, że jedzenie dużej ilości węglowodanów głównie w postaci rafinowanego cukru powoduje wzrost zapotrzebowania na białko. W sytuacji gdy takie koło nabierze rozpędu, często jest tak, że dana osoba zjada zbyt duże ilości cukru i białka. Wiedząc, że jest takie ryzyko, warto jeść takie ilości białek, które nie spowodują wzrostu łaknienia na cukier.

Cukier i biała mąka nie mają w swoim składzie substancji odżywczych. W procesie ich trawienia organizm wykorzystuje zapasy witamin i minerałów, co prowadzi do niedoboru głównie wapnia i magnezu. Należy podkreślić, że kiełki zbóż, a szczególnie lucerny, są wspaniałą zieloną żywnością, która oprócz chlorofili, witamin, aminokwasów i błonnika zawiera silne antyoksydanty i związki przeciwzapalne.

Wielu badaczy uważa, że cukier uzależnia tak samo jak alkohol i tytoń. Złowieszcze działanie białego cukru związane jest przede wszystkim z zaburzaniem procesów regulujących naturalny poziom glukozy we krwi. Spożywanie cukru można przedstawić jako następujący schemat:

1. Zjadasz cukierek lub batonik.
2. Gwałtownie wzrasta poziom cukru we krwi.
3. Następuje gwałtowny i nadmierny wyrzut insuliny.
4. Spada poziom cukru we krwi.
5. Pojawia się uczucie gwałtownego głodu.
6. Ponownie sięgasz po cukierka lub ciastko.

Na podstawie badań przeprowadzonych wśród dzieci w wieku szkolnym stwierdzono, że tzw. *sugar blues* pojawia się wówczas, gdy nie zjemy śniadania albo spożywamy słodkości. Zbyt duże ilości spożywanego cukru, zjadanie tzw. bomb cukrowych, skutkuje słabymi wynikami w nauce, agresją, rozdrażnieniem, brakiem cierpliwości, kłopotami ze snem, słabszym radzeniem sobie z trudnymi sytuacjami w życiu, a nawet stanami depresyjnymi.

Obserwując siebie w procesie budowy wewnętrznego diet coacha, masz możliwość zauważyć, jak wszelka wysoko przetworzona żywność i cukier wpływają na twoje samopoczucie.

Ciekawostka

Spożywanie cukru jest główną przyczyną próchnicy. W bogatych krajach prawie wszyscy dorośli mają próchnicę. Bakterie znajdujące się na płytce nazębnej żywią się cukrem, a produktem ubocznym są substancje uszkadzające szkliwo. Eskimosi, którzy nie jedzą cukru i nie dbają zbytnio o higienę jamy ustnej, nie mają próchnicy.

Jak skutecznie zmniejszyć duży apetyt na słodycze?[10]

Oto najważniejsze rady, które pomogą ci zmniejszyć apetyt na słodycze:

1. Pamiętaj, że wspaniałym i bezpiecznym źródłem słodkości jest dieta oparta na produktach roślinnych, które są wystarczająco długo przeżuwane – każdy kęs min. 20–30 razy. Takie działanie powoduje wydobywanie słodkiego smaku pożywienia. Łaknienie słodyczy stopniowo się zmniejszy, jeśli będziesz odpowiednio długo przeżuwał żywność opartą na pełnych ziarnach zbóż, roślinach strączkowych i warzywach.

2. Pamiętaj, że tzw. naturalne słodziki, takie jak fruktoza i brązowy cukier, są tak samo rafinowane jak biały cukier i ich działanie jest podobne.

3. Zwróć uwagę na to, by w diecie nie było zbyt dużo słonych produktów, które wzmagają łaknienie smaku słodkiego.

4. Produkty pochodzenia zwierzęcego, takie jak: mięso, ryby, sery, jaja, mleko, zawierają duże ilości białka i jeśli zjada się ich zbyt wiele, wzrasta zapotrzebowanie na węglowodany (cukier), ponieważ organizm dąży do równowagi: metabolizm białek reguluje metabolizm węglowodanów i odwrotnie. Dlatego należy spożywać białko zwierzęce w ilościach niepowodujących wzrostu łaknienia cukru.

5. Jeśli jesz mięso, zawsze dla równowagi zjadaj warzywa, grzyby, owoce.

6. Desery możesz słodzić owocami, naturalnymi sokami owocowymi, słodem jęczmiennym, syropem klonowym, melasą, niepodgrzewanym miodem w niewielkich ilościach. Pamiętaj o umiarze.

7. Na deser jedz słodkie warzywa (buraki, karczochy, marchewki, dynie, słodkie ziemniaki, pasternak), które łagodzą łaknienie na cukier. Surowe marchewki są szczególnie przydatne w przypadku nasilonego apetytu na cukier.

8. Jedz kiełki, które również dostarczają cukru, ponieważ proces kiełkowania zmienia skrobię w cukier.

9. Aby zmniejszyć łaknienie słodyczy, możesz zjeść coś ostrego, kwaśnego lub gorzkiego, np. seler naciowy, albo wypić małymi łyczkami kubek gorącej wody.

10. Ochota na coś słodkiego może być wynikiem zbytniego zakwaszenia organizmu, które powstaje w wyniku stresu i braku ruchu, jedzenia w pośpiechu, jedzenia nadmiernej ilości mięsa i produktów rafinowanych. Wtedy możesz jeść surowe bądź lekko ugotowane warzywa, napić się herbaty bancha z cytryną albo ćwiczyć lub głęboko oddychać itp., aż ochota na słodycze przejdzie.

Ludzie, którzy jedzą mniej cukru, mają lepszy nastrój, większą stabilność emocjonalną, spokojny sen dający wypoczynek. Poprawia się im również pamięć. Takie osoby rzadziej się przeziębiają i mają mniej problemów z zębami, zwiększa się ich zdolność koncentracji. Ogólnie poprawia się ich zdrowie.

Wskazówka

>> Okazjonalnie i w ograniczonych ilościach warto używać niepodgrzewanego miodu, słodu jęczmiennego czy syropu klonowego jako zamienników białego cukru.

Co warto wiedzieć o tzw. ciągu do jedzenia?[11]

Ciąg do jedzenia powstaje w wyniku spożywania produktów o wysokim indeksie glikemicznym, czyli takich, które łatwo przedostają się do krwiobiegu i zakłócają stężenie glukozy we krwi. Dzieje się tak, ponieważ produkty wysoko przetworzone (cukier w nich zawarty – wysoko oczyszczone węglowodany) powodują gwałtowne wydzielanie insuliny. Duża ilość insuliny powoduje spadek cukru we krwi, co sprawia, że czujemy się coraz gorzej. Wtedy, by poprawić sobie nastrój i lepiej się poczuć, zjadamy kolejne ciastko, i tak w kółko.

Rozwiązaniem jest odstawienie wysoko przetworzonej żywności na rzecz DUŻEJ ilości warzyw, roślin strączkowych oraz węglowodanów nieprzetworzonych, np. pieczywa na naturalnym zakwasie, bez drożdży i z pełnego ziarna.

Zapamiętaj

Co warto wiedzieć o insulinie?
Nasz organizm (trzustka) produkuje insulinę po to, by obniżać zbyt wysoki poziom cukru. Gdy zostaje zachwiana równowaga cukru w organizmie, nadmiar jest przetwarzany w glikogen magazynowany w wątrobie. Gdy z kolei jemy wysoko przetworzone produkty, organizm musi produkować coraz większe ilości insuliny, tak by rozkładała coraz większe ilości cukru. W końcu dzieje się tak, że nadmiar glukozy zmienia się w tłuszcz zamiast w glikogen. W takiej sytuacji łatwo jest wpaść w błędne koło – im więcej przetworzonych węglowodanów, tym bardziej niestabilne stężenie glukozy we krwi i tym większe łaknienie tych produktów.

Naturalne antyoksydanty i wolne rodniki

Wraz ze zmianą diety konieczne jest dostarczanie organizmowi antyoksydantów po to, by mogły się one przeciwstawić wolnym rodnikom. Wolne rodniki to cząsteczki wytwarzane przez komórki ciała. Z jednej strony, jako obrońcy odporności, biorą one udział przy przekazywaniu sygnałów między komórkami oraz wspomagają układ odpornościowy, niszcząc niepożądanych agresorów, takich jak grzyby czy drożdże. Z drugiej strony ich aktywność związana jest z powstawaniem alergii, cukrzycy, chorób serca bądź stawów. Dzieje się tak wtedy, gdy wolnych rodników jest zbyt dużo i dochodzi do zaburzenia wewnętrznej równowagi organizmu. Wtedy komórki ciała stają się celem ataku wolnych rodników.

Powstawanie wolnych rodników jest odpowiedzią ciała na działanie trujących substancji, wprowadzanych do organizmu z zewnątrz, w wyniku: spożywania wysoko przetworzonej żywności i alkoholu, palenia papierosów czy nawet na skutek wdychania zanieczyszczonego powietrza lub promieniowania z jakichkolwiek źródeł (łącznie ze sprzętem elektronicznym).

Wolne rodniki są neutralizowane i wiązane przez antyoksydanty – swoiste piorunochrony wyłapujące wolne rodniki. Głównym źródłem antyoksydantów są owoce i warzywa, kiełki, zielone pędy pszenicy i jęczmienia.

Naturalne przeciwutleniacze (antyoksydanty) występujące w żywności to:

> **witaminy C i E (ważne dla zdrowia serca), prowitamina A (beta-karoten)**

Witamina	Dzienne zapotrzebowanie	Źródło	Zawartość w 100 g (lub ml) produktu
C	120 mg	owoce i warzywa	papryka – 140–200 mg, owoc czarnej porzeczki – 160–180 mg, kiwi – 60–100 mg, truskawka – 60–100 mg, brukselka – 95 mg, kalafior – 70 mg, szpinak – 70 mg, sok z cytryny – 70 mg.
E	10 mg	zboża, orzechy, oleje	olej słonecznikowy – 75 mg, migdały – 30 mg, olej lniany – 23 mg, orzechy włoskie – 21 mg, sałata – 13 mg, kapusta – 6 mg, masło – 3 mg, żółtko jaj – 3 mg.
A	1 mg	warzywa, owoce, wątroba	tran – 18 mg, wątróbka drobiowa – 10 mg, wątroba wołowa – 7,5 mg, marchew – 1,8 mg, natka pietruszki – 1 mg.

> **bioflawonoidy (beta-karoten, likopen, proantocyjanidy)** – chronią ściany tętnic, obniżają poziom cholesterolu, opóźniają procesy starzenia się skóry, wykazują działanie przeciwzapalne, przeciwalergiczne, przeciwbakteryjne. Niestety spożywamy ich bardzo mało.

Bioflawonoidy praktycznie nie występują w produktach wysoko przetworzonych, natomiast występują w dużych ilościach w produktach surowych lub naturalnego pochodzenia. Najwięcej bioflawonoidów jest w nieprzetworzonej żywności – warto jeść surowe warzywa i owoce, ziarna oraz orzechy.

Zapamiętaj

Najwyższy potencjał antyoksydacyjny – zdolność pochłaniania wolnych rodników[12] – mają:

> **owoce:**

borówki, owoce açai, granaty, czarna jagoda, owoce bzu czarnego, mandarynki, orzechy włoskie, laskowe, żurawina, śliwki suszone – bez siarki, maliny, jeżyny, agrest, śliwki ciemne, sok z czarnej porzeczki;

> **warzywa:**

fasola biała drobna, fasola plamista, fasola czerwona i czarna, karczoch, kapusta czerwona, cebula czerwona, sałaty: masłowa i o czerwonych liściach, szpinak, brokuł, rzodkiewki, czosnek, imbir;

> **orzechy i nasiona:**

pekan, migdały, orzechy laskowe, pistacje, orzechy włoskie, kakao niesłodzone;

> **przyprawy:**

suszone: cynamon, goździki, curry, chili, bazylia, oregano, rozmaryn, tymianek, wanilia; świeże: tymianek, majeranek, mięta; papryka słodka mielona;

> **kwasy tłuszczowe omega-3;**

> **mikroelementy:** cynk, miedź, mangan, selen;

> **aminokwas cysteina i enzymy o właściwościach przeciwutleniających.**

W celu zmniejszenia wpływu wspomnianych substancji toksycznych można stosować suplementację, czyli środki uzupełniające dietę w antyoksydanty. Ograniczenie wpływu trujących substancji polega przede wszystkim na zdrowej diecie bez zjełczałych pokarmów. Szczególną uwagę należy zwrócić na jakość spożywanych orzechów i nasion oraz tłuszczy. Spalone, zjełczałe tłuszcze i oleje, smarowidła masłopodobne i margaryny poddane działaniu gorąca szczególnie obciążają układ odpornościowy.

Białka

Białka są najważniejszym składnikiem budulcowym żywych organizmów – zarówno roślinnych, jak i zwierzęcych. Ilość białka w organizmie dorosłego człowieka wynosi 10–14 kg.

Bez udziału białek nie jest możliwa odnowa tkanek, wzrost, rozwój organizmu, nie ma odporności na choroby, nie goją się rany. Brak białek hamuje procesy myślowe zachodzące w mózgu oraz przyczynia się do zahamowania wzrostu i procesu dojrzewania, apatii, braku łaknienia, zmian skórnych.

Źródła białek[13]

Można wyróżnić białko zwierzęce, czyli mięso, wędliny, drób, ryby, jaja, mleko, sery, oraz białko roślinne – pochodzące z produktów strączkowych, zbożowych, ziemniaków, warzyw i owoców.

O wartości odżywczej białek decyduje ilość niezbędnych aminokwasów egzogennych (niewytwarzanych przez organizm człowieka) oraz ich wzajemne proporcje. Organizm dorosłego człowieka najlepiej wykorzystuje białko jaja kurzego, a niemowlęcia – laktoalbuminę mleka kobiecego. Im wyższa wartość odżywcza białka, tym lepsze jego wykorzystanie.

Najlepiej w pożywieniu łączyć białka tak, by wzajemnie się dopełniały. Łączenie zbóż i nasion strączkowych zapewnia potrzebne aminokwasy. Wykryto, że zasoby zgromadzonych w ciele aminokwasów służą do uzupełniania aminokwasów zawartych w świeżo dostarczonym pokarmie.

Ciekawostka

Już 40 lat temu badania dotyczące pomiaru zapotrzebowania na białko w organizmie dorosłego człowieka dowiodły, że produkty takie jak pełne zboża, fasole i ziemniaki, w skład których wchodzą węglowodany złożone, zawierają aminokwasy, które zaspokajają zapotrzebowanie na białko. Przez całe lata sądzono, że ludzie muszą przyjmować w diecie w odpowiednich ilościach 10 niezbędnych aminokwasów, których korzystny wpływ udowodniono, przeprowadzając badania na szczurach. Obecnie tych niezbędnych amino-kwasów jest osiem i są to: lizyna, metionina, treonina, leucyna, izoleucyna, walina, tryptofan i fenyloalanina[14].

Każde nierafinowane pożywienie oparte na produktach roślinnych lub zwierzęcych zawiera nie tylko osiem niezbędnych, lecz nawet wszystkie znane aminokwasy (20).

Zapamiętaj

Aby uzyskać białko roślinne przypominające białko pochodzące z mięsa, można stosować zboża i rośliny strączkowe w proporcjach ok. dwóch części zbóż na jedną część roślin strączkowych. Można spożywać orzechy i nasiona ze zbożami. Osoby, które nie są w stanie trawić roślin strączkowych i zbóż lub podobnych zestawów w trakcie jednego posiłku, mogą spożywać takie pokarmy naprzemiennie[15].

Spożywanie dużej ilości mięsa powoduje, że większość białka nie jest trawiona, co powoduje ospałość i w konsekwencji pociąg do substancji pobudzających, takich jak cukier rafinowany, kawa, alkohol. Kluczem do czerpania korzyści z jedzenia mięsa jest jego spożywanie w ograniczonych ilościach.

Dieta oparta na zbożach i warzywach ma działanie uspokajające, energetyzujące i odprężające. W świecie roślin jest kilka produktów mających silniejsze działanie niż mięso, np. zupy miso i z wodorostów, bogate w białko, witaminy, enzymy i minerały.

Miso to tradycyjna pasta ze sfermentowanej soi, która najprawdopodobniej pochodzi z Chin. Pastę otrzymuje się przez połączenie ugotowanej soi, specjalnej pleśni, soli i różnych zbóż. Taka mieszanka jest poddawana procesowi fermentacji od 6 miesięcy do 2 lat, a nawet dłużej. Wyróżnia się trzy podstawowe rodzaje miso: sojowe, jęczmienne i ryżowe oraz ok. 50 innych. Miso ma różny kolor: od brązowo-rdzawego przez bursztynowy, nasycone czerwienie, czekoladowe brązy, czerń aż po współczesne odmiany słonecznej żółci i kremowego beżu. Jeżeli chodzi o zastosowanie, to ciemniejsze miso, które jest dłużej fermentowane, poleca się w okresach chłodnych. Gdy jest ciepło, lepiej jeść miso jaśniejsze, krócej fermentowane. Natomiast miso czerwone jest zalecane przez cały rok. Warto pamiętać, by kupować miso niepasteryzowane i prze-chowywać je w pojemnikach szklanych, emaliowanych lub drewnianych w chłodnym miejscu. Do potraw należy je dodawać na końcu, gdyż każde gotowanie likwiduje korzystne mikroorganizmy[16].

Przykładem bardzo odżywczych dań są również: zupa z soczewicy, sałatka z bobu, rukoli i mięty, sałatka ze startej marchwi z rodzynkami i sokiem z pomarańczy lub jabłek czy cytryny, kasza gryczana z grzybami i cebulką, kotlety z kaszy gryczanej i tofu, potrawka z fasoli adzuki (zob. przepisy na końcu poradnika).

Diety proteinowe a zdrowie

W mediach ciągle dużo mówi się o dietach proteinowych, a w zasadzie megaproteinowych. Powszechnie stosowana przez osoby odchudzające się jest choćby znana w Polsce dieta Dukana. Francuski dietetyk Jean-Michel Cohen wygrał w lipcu 2011 r. proces, który wytoczył mu Pierre Dukan, i udowodnił tym samym, że dieta Dukana jest niezdrowa. Nie sądzę, by ta wiadomość zmniejszyła liczbę osób stosujących tę dietę; przytaczam ją jedynie w celu przedstawienia tezy, że człowiek nie może jeść samych protein. Obecnie mamy ogromną wiedzę dotyczącą diet odchudzających, które niestety dają bardzo podobne rezultaty. Większość ludzi po okresie spadku wagi ciała zaczyna ponownie tyć. Uważam, że wszystkie restrykcyjne diety odbierają przyjemność z jedzenia i wywołują poczucie straty. Gdy zjadamy ok. 1000 kcal dziennie, przeżywamy rozczarowanie i niezadowolenie. Jednocześnie taka dieta powoduje wzrost apetytu i prowadzi do zaburzeń żywieniowych.

Badania wykonane w departamencie żywienia Massachusetts Institute of Technology wykazały, że ludzie konsumują trzy razy więcej białka, niż rzeczywiście potrzebują. Głównym źródłem białka są produkty pochodzenia zwierzęcego. Takie wysokie spożycie białka zwierzęcego (mięsa) jest odnotowywane w najbogatszych krajach świata, w uboższych jest znacznie niższe. Mięso jest bogate w wysoce przyswajalne składniki odżywcze. Zwierzę wykonuje pracę przekształcenia żywności roślinnej w tkanki, które niewiele różnią się od naszych własnych. Dzięki temu wiele osób łatwiej przyswaja żelazo, niektóre witaminy i inne składniki odżywcze z mięsa niż z ziaren i z fasoli.

Również nasza kultura jest zorientowana na spożycie mięsa. Natomiast zarówno w medycynie chińskiej, jak i w ajurwedyjskim systemie uzdrawiania uważa się, że mięso nas wzmocni, ale tylko wtedy, gdy jedzone jest z umiarem.

To, co znamienne i szokujące, to fakt, iż w krajach biednych szczupłe osoby mają zdrowsze kości niż otyli mieszkańcy krajów bogatych. Badania naukowe potwierdzają, że

„współautorami" utraty masy kostnej są kwasy powstające pod wpływem zbyt dużej ilości białka w diecie. Wyniki innych badań przeprowadzonych przez Uniwersytet Cornella i Uniwersytet w Oksfordzie wykazały, że odsetek zachorowań na serce wśród Azjatów jest 1700 razy mniejszy niż wśród Amerykanów. Wynika to z różnic w diecie: azjatycka oparta jest głównie na zbożach i warzywach. W tej diecie 90% białka pochodzi ze źródeł roślinnych. Również choroby takie jak rak czy cukrzyca są rzadziej spotykane u ludzi żywiących się głównie warzywami i zbożami. Jeżeli jednak decydujesz się jeść mięso, to pamiętaj, by spożywać je z umiarem i tylko takie, które pochodzi z hodowli ekologicznych.

U osób, które jedzą zbyt duże ilości mięsa, z jednej strony rzeczywiście następuje spadek wagi ciała, ale z drugiej istnieje ryzyko zaburzenia poziomu cukru we krwi, utraty tkanki kostnej i zwyrodnienia nerek. Zbyt duże ilości mięsa w diecie przyczyniają się także do zapalenia stawów i chorób z nimi związanych.

Autorzy odchudzających diet wysokobiałkowych zalecają ograniczenie węglowodanów i kontrolę stężenia cukru we krwi. Otóż spożycie rafinowanych (wysoko przetworzonych) węglowodanów rzeczywiście trzeba ograniczać w codziennym jadłospisie. Do tej grupy zalicza się makarony, wypieki, pieczywo zawierające białą oczyszczoną mąkę, biały ryż i cukier rafinowany. Wszystkie wymienione produkty są ubogie w błonnik, minerały, niezbędne kwasy tłuszczowe, enzymy, substancje potrzebne do wspierania immunologii organizmu. W związku z tym żywność rafinowana powoduje przyrost wagi i wspomniane wyżej zaburzenia. Z kolei węglowodany nieprzetworzone, czyli np. ryż brązowy, nierafinowane ziarna, pieczywa, makarony i wypieki z pełnego ziarna, jedzone z umiarem, nie dają takich efektów.

Tłuszcze[17]

Tłuszcze stanowią stały składnik masy ciała człowieka. Biorą udział w tworzeniu tłuszczu organicznego, którego zadaniem jest ochrona i osłanianie narządów wewnętrznych, jak również utrzymywanie ich na swoim miejscu.

Występują one w ciele człowieka jako:
> tłuszcz zapasowy – podskórny;
> tłuszcz narządowy – ochraniający narządy wewnętrzne.

Tłuszcze odgrywają także rolę materiału energetycznego, są niezbędne do przyswajania witamin rozpuszczalnych w tłuszczach: A, D, E, K. W krajach takich jak Polska, gdzie bywają bardzo mroźne zimy, dieta o odpowiedniej zawartości tłuszczu jest niezbędna, ponieważ daje poczucie głębokiego wewnętrznego ciepła. Osoby, które mają nadwagę, są otyłe lub u których stwierdzono choroby serca, powinny w swojej codziennej diecie ograniczyć ilość tłuszczów poza olejami zawierającymi kwasy omega-3 i GLA. Należy pamiętać, że wiele chorób związanych jest z nadmiernym spożyciem tłuszczów, i to przede wszystkim tych niskiej jakości. Tłuszczem o wysokiej jakości jest oliwa z oliwek z pierwszego tłoczenia na zimno, nierafinowana.

W organizmie człowieka nagromadzony tłuszcz ulega ciągłej wymianie. Pierwszy etap przemiany tłuszczów to hydroliza tłuszczu do glicerolu i kwasów tłuszczowych. Z utleniania kwasów tłuszczowych organizm uzyskuje 40% energii. Proces ten zachodzi w wątrobie, mięśniu sercowym i w nerkach.

Tłuszcze i oleje w żywności

W tłuszczach zwierzęcych dominują kwasy tłuszczowe nasycone: palmitynowy i stearynowy. W tłuszczach roślinnych przeważają kwasy nienasycone. Niektóre oleje zawierają kwasy tłuszczowe omega-3, które pomagają zmniejszyć szkody wywołane przez zbyt duże ilości nagromadzonego tłuszczu i cholesterolu.

Zapamiętaj

Cholesterol to podobny do tłuszczu związek, który dostarczasz swojemu organizmowi, jedząc produkty zwierzęce, albo który organizm wytwarza sam. Związek ten jest obecny głównie w mózgu, układzie nerwowym, wątrobie i krwi. Organizm korzysta z niego w trakcie wytwarzania hormonów płciowych, hormonów nadnerczy, witaminy D i żółci, która jest z kolei konieczna w procesie trawienia tłuszczów.

Przyczyny wysokiego poziomu cholesterolu w organizmie to:

> nadmierne spożycie tłuszczów nasyconych;

> stres;

> picie kawy;

> palenie papierosów;
> spożywanie cukru.

Zalecany poziom cholesterolu we krwi to maks. 200 mg/dl, wyższy poziom prowadzi do miażdżycy naczyń krwionośnych i zaburzeń krążenia. Ciekawy jest fakt, że poziom cholesterolu u noworodka wynosi tylko 70 mg/dl, natomiast pomiędzy 1. a 17. rokiem życia wzrasta do 150 mg/dl[18].

Ryby i owoce morza, takie jak halibut, dorsz, małże, mają najniższą zawartość tłuszczu nasyconego i cholesterolu – od 0,35 do 0,50 mg cholesterolu na 1 g produktu – i najniższą wartość procentową kaloryczności tłuszczu nasyconego, mianowicie 1%. Dla porównania: mleko krowie, kozie i jogurt zawierają od 0,11 do 0,13 mg cholesterolu na 1 g produktu, ale wartość procentowa kaloryczności tłuszczu nasyconego w produktach mlecznych waha się między 30% a 34%. A zatem **nabiał przyczynia się do odkładania tłuszczu w organizmie.** Jest to istotna informacja, biorąc pod uwagę fakt spożywania przez wiele osób z nadwagą produktów nabiałowych i mleka nawet kilka razy dziennie. Pożywienie roślinne – zboża, warzywa, owoce, rośliny strączkowe, orzechy, nasiona, wodorosty – nie zawiera cholesterolu i ma niski poziom tłuszczów nasyconych[19].

Produkty zmniejszające poziom cholesterolu

Do składników odżywczych zmniejszających poziom cholesterolu należą[20]:

> **lecytyna** – znajdująca się w roślinach strączkowych (zawarta w tych produktach cholina kontroluje metabolizm i jest głównym składnikiem lecytyny);

> **witamina C** – zawarta w kiełkach, kapuście, pietruszce – szczególnie natce, słodkiej papryce, owocach róży, pomidorach i owocach cytrusowych; spożywając głąb kapusty, wewnętrzną skórkę cytrusów, dostarczasz organizmowi bioflawonoidów, które razem z witaminą C wzmacniają ścianki naczyń krwionośnych;

> **niacyna i witamina E** – zawarte w nieprzetworzonych ziarnach zbóż, a szczególnie w życie, quinoa, amarantusie, owsie, jak również w gryce oraz w roślinach strączkowych i ich kiełkach. Bogate w witaminę E są migdały, orzechy włoskie i laskowe, siemię lniane, nasiona dyni (należy

je lekko uprażyć przed jedzeniem, by usunąć z ich powierzchni pałeczki okrężnicy – E. coli) i kiełki słonecznika;

> **kwasy omega-3** – w dużych ilościach występują w:
>
> 1. rybach takich jak: łosoś, makrela, sardynka, śledź, pstrąg rzeczny, tuńczyk; spożycie 200–300 g ryb tygodniowo wystarczy, by dostarczyć organizmowi odpowiednią ilość kwasów omega-3;
> 2. nasionach siemienia lnianego, nasionach dyni, tofu i orzechach włoskich;
> 3. wszelkich zielonych, bogatych w chlorofil pokarmach, ponieważ kwas alfa-linolenowy (źródło omega-3) jest w ich chloroplastach. Są to: kapusta włoska, jarmuż, natka pietruszki i trawy zbożowe.

Niezbędne kwasy tłuszczowe

Do tej grupy należą kwasy: linolowy i alfa-linolenowy oraz arachidonowy. Niezbędne kwasy tłuszczowe stanowią składnik budulcowy komórek. Biorą udział w transporcie i metabolizmie cholesterolu. Kwas linolowy łączy się z estrami cholesterolu i ułatwia ich rozprowadzanie w organizmie. Ma to wpływ na obniżenie poziomu cholesterolu we krwi, przez co zapobiega chorobie niedokrwiennej serca.

Kwasy te wpływają również na cerę i włosy, sprawiają, że skóra wygląda zdrowo i młodo. Regulują funkcjonowanie gruczołu tarczycy i nadnerczy, mają pozytywny wpływ na stan krwi, nerwów i naczyń krwionośnych. Niezbędne nienasycone kwasy tłuszczowe nie są syntetyzowane w organizmie człowieka, lecz dostarczane z dietą.

Niezbędne kwasy tłuszczowe występują w: pełnych ziarnach zbóż, roślinach strączkowych i ich kiełkach, świeżych nasionach i orzechach, ciemnozielonych warzywach i mikroalgach. Warto stosować oleje z siemienia lnianego lub pestek dyni, ale tylko wtedy, gdy są świeże, właściwie przechowywane, zostały wytłoczone na zimno i nie są rafinowane. Orzechy i nasiona najlepiej zjadać bezpośrednio po wyłuskaniu w niewielkich ilościach. Osobom odchudzającym się wystarczy garść dziennie.

Zapamiętaj

> Oleje rafinowane, w skład których wchodzą uwodornione tłuszcze, występują w takich produktach, jak margaryna, różnego rodzaju miksy masłowo-olejowe. Nie mogą być one w pełni przyswojone i przyczyniają się do rozwoju cellulitu oraz innych zwyrodnień.

Rozdział 3
Struktura zmiany

Z tego rozdziału dowiesz się:

> jak rozwijać nowe nawyki żywieniowe;

> jak pewne sytuacje, zachowania, myśli i emocje wpływają na twój styl życia;

> na czym polega zależność pomiędzy zdrowym trybem życia a efektywnością w pracy;

> jakie czynniki wpływają na twój wybór żywności;

> jak radzić sobie ze stresem.

Jak rozwijać nowe nawyki żywieniowe?

Działania związane z realizacją celu warto połączyć z obserwacją siebie, swojego ciała, swoich zachowań i nawyków. W ten sposób dowiesz się, które z nich chcesz zmienić. Będziesz mógł wybierać te działania, które zatrzymują cię w drodze ku określonemu wcześniej celowi, i zamieniać je na inne.

Ważne jest, byś odpowiedział sobie na pytania:

> Jakie zachowania ci nie służą?

> Jakie nowe zachowania wprowadzisz do swojego codziennego życia?

> Jakich rezultatów oczekujesz po zastosowaniu takiej zmiany?

> Jakie swoje mocne strony wykorzystasz, by systematycznie stosować nowe zachowania?

Ćwiczenie

Przeprowadź wywiad z samym sobą: zanotuj na kartce 10 pytań, na które chciałbyś odpowiedzieć w czasie wywiadu tak, by osoba zadająca ci te pytania mogła lepiej poznać twoje nawyki żywieniowe, zachowania czy potrzeby związane ze zmianą stylu życia. To, jak owocny będzie twój wywiad, zależy tylko od ciebie, ty decydujesz, jakie pytania chcesz usłyszeć i jak na nie odpowiesz. Podsumuj wywiad:

> Jak czułeś się w trakcie wywiadu?

> Czy pytania sprawiły ci ulgę?

> Czy lepiej poznałeś siebie?

> Czy byłeś szczery?

> Na ile otwarte i treściwe były twoje pytania?

> Jakich pytań uniknąłeś i nie zanotowałeś?

> Jakie jest najważniejsze pytanie związane z twoim celem, które ktoś może ci zadać?

> Jak rozwinąć nowe, inne niż do tej pory nawyki żywieniowe?

Określ swoje nowe zachowania jako nawyki bohatera lub zwycięzcy.

Zwykle masz tendencję do myślenia, że inni są od ciebie lepsi, ładniejsi, mądrzejsi.

Pamiętaj, że ty również możesz osiągnąć wiele, jeśli chodzi o twoje zdrowie, wygląd czy styl życia. Też możesz osiągnąć sukces![21]

Każda zmiana związana jest z podjęciem zobowiązania, że czegoś dokonasz. Jeśli obiecasz sobie, że zrealizujesz swój cel, i konsekwentnie krok po kroku będziesz zmierzał w kierunku mety, jesteś skazany na sukces.

Do wkroczenia na właściwą drogę zmiany potrzebne są trzy rzeczy:

1. wiedza dotycząca pożywienia, które się spożywa;
2. wiedza dotycząca siebie i własnych emocji;
3. konsekwentne realizowanie podjętych postanowień.

Twoje działanie związane jest z uczeniem się i podejmowaniem decyzji dotyczących wyboru pomiędzy wiedzą a emocjami. To właśnie ty będziesz stwarzał sytuacje dające możliwość decydowania i wybierania pomiędzy starymi nawykami a wzięciem pełnej odpowiedzialności za to, co wkładasz na swój talerz.

Jeżeli kiedyś zdarzyło ci się ponieść porażkę związaną ze zmianą stylu życia, wyglądu czy sposobu odżywiania, ważne jest, byś teraz pamiętał, że trudne wybory, ciężka praca są warte zachodu, ponieważ zapewniają pożądane rezultaty i upragnione wyniki.

Wybierając dla siebie drogę zmiany swoich emocji i nawyków dotyczących jedzenia, nie tylko zmieniasz siebie, lecz także wprowadzasz zmiany w swojej rodzinie, wśród znajomych i przyjaciół. Patrząc całościowo, może zauważysz, że twoje zdrowie ma nawet wpływ na rozwój kraju: jesteś zdrowy, pełen energii, zadowolony ze swojego życia, co wpływa na twoją wydajność i skuteczność w miejscu pracy, a tym samym na efekty finansowe twojej firmy itp.

Zapamiętaj

> Wybór tego, co masz na talerzu, jest istotny w aspekcie twojego charakteru, emocji, zachowań, myśli oraz sytuacji, w jakich się znajdujesz.

Wpływ sytuacji, zachowania, myśli i emocji na twoje zdrowe życie

Obecnie dość powszechnie propaguje się zdrowy styl życia. Alarmujący wzrost liczby chorych na nadciśnienie tętnicze i inne choroby układu krążenia, nowotwory, choroby psychiczne, otyłość i cukrzycę związany jest głównie ze stylem życia oraz zagrożeniami dla środowiska naturalnego. Taki stan rzeczy skłania do aktywności zdrowotnej – życia w ruchu, bez używek, bez leków i w zdrowszym środowisku.

Dla rozwoju takiego stylu życia konieczna jest promocja zdrowia, która oznacza:

> podnoszenie samoświadomości i świadomości społecznej dotyczącej zdrowia i czynników je warunkujących;

> kontrolę nad zdrowiem i udział w realizacji celów zdrowotnych;

> działania na rzecz poprawy i utrzymania zdrowia.

Ciekawostka

Lekarz kanadyjski Marc Lalonde obliczył, że długość i jakość życia człowieka zależą przede wszystkim od czterech czynników:

> w 50% od stylu życia, czyli zbioru decyzji (działań), które wpływają na twoje zdrowie i które możesz w mniejszym lub większym stopniu kontrolować;

> w 20% od środowiska, czyli wszystkich jego elementów zewnętrznych w stosunku do ciała ludzkiego, na które nie masz wpływu lub masz wpływ ograniczony;

> w 20% od wszystkich cech związanych z biologią organizmu ludzkiego, w tym czynników genetycznych, płci, wieku;

> w 10–15% od opieki medycznej, a więc od jej dostępności, jakości, organizacji, rodzaju, zasobów.

Na trzy ostatnie czynniki masz mały wpływ lub nie masz go w ogóle. W pełni jednak możesz wykorzystać szansę związaną ze stylem życia. Styl życia odnosi się do grupy społecznej i jednostki. Styl życia grupy społecznej obejmuje uwarunkowane społecznie wzory zachowań i interpretacje sytuacji społecznych, jakie dana grupa wspólnie wypracowała i wykorzystuje, aby radzić sobie w życiu. Może ulegać on zmianom pod wpływem różnych czynników i warunków społecznych, w rozmaitych punktach czasu i przestrzeni.

Na twój styl życia składają się reakcje i wzory zachowań (działania, czynności, praktyki, nawyki i przekonania), które zostały ukształtowane w trakcie twojego dotychczasowego życia. Mieli na nie wpływ rodzice, inni członkowie rodziny, rówieśnicy, nauka w szkole, praca, media. Wybór określonego zachowania czy reakcji zależy od twojego charakteru, inteligencji emocjonalnej oraz sytuacji, w której się znajdujesz.

Twój prozdrowotny styl życia to jednak nie tylko wzory zachowań związane ze zdrowiem, lecz także wartości i postawy reprezentowane przez ciebie w odpowiedzi na warunki społeczne, kulturowe i ekonomiczne. Oznacza to, że możesz świadomie działać w celu polepszenia swojego zdrowia oraz wyeliminowania zachowań, które są dla ciebie szkodliwe.

Omawiając prozdrowotny styl życia, można wyróżnić cztery grupy zachowań:

1. zachowania związane ze zdrowiem fizycznym (dbałość o ciało i najbliższe otoczenie, aktywność fizyczna, zdrowe żywienie, sen – odpowiedni czas jego trwania i jakość);
2. zachowania związane ze zdrowiem psychospołecznym – korzystanie i dawanie wsparcia społecznego (unikanie nadmiaru stresów i radzenie sobie z problemami);
3. zachowania prewencyjne (kontrola zdrowia i samobadanie, np. badanie piersi, poddawanie się badaniom profilaktycznym, bezpieczne zachowania w życiu codziennym, w tym seksualne);
4. niepodejmowanie zachowań ryzykownych (niepalenie tytoniu, ograniczone picie alkoholu, nieużywanie dopalaczy i innych substancji psychoaktywnych).

Edukacja zdrowotna i promocja zdrowia odgrywają główną rolę w propagowaniu i wdrażaniu zdrowego stylu życia, który daje gwarancję długiego, spokojnego życia i satysfakcję z umiejętności zapobiegania problemom zdrowotnym.

Zdrowie to nie tylko brak cierpienia i bólu fizycznego, lecz także rzeczywisty stan ciała i umysłu, którym możesz się bez przeszkód cieszyć. Stosowanie odpowiedniej diety, regularne ćwiczenia fizyczne, życie w zdrowym środowisku, zmiana złych nawyków na takie, które ci służą, oraz odpowiednie radzenie sobie z napięciem i stresem to działania niezbędne w dążeniu do zdrowia.

Podsumowując, można powiedzieć, że podstawą zdrowia są wybory, jakich dokonujesz, i wewnętrzna równowaga. Możesz żyć albo zgodnie z prawami natury i być
zdrowym, albo te prawa naruszać i nieustannie chorować. Jeżeli wybierasz życie
zgodne ze swoimi potrzebami i wartościami w poszanowaniu praw natury, to jesteś
na właściwej drodze w procesie budowania wewnętrznego diet coacha.

Zdrowy tryb życia a efektywność pracy

Jeśli chodzi o czynniki biopsychospołeczne i ich wpływ na styl życia, ważny jest również wpływ zdrowego trybu życia na efektywność twojej pracy zawodowej. Wielu moich klientów miało problem związany z funkcjonowaniem na najwyższych obrotach
w trakcie dnia pracy. Szukali rozwiązania w diet coachingu i rzeczywiście je znaleźli.

W pracy nie masz czasu na to, by zwracać uwagę na potrzeby swojego organizmu.
Często zapominasz o regularnych porach posiłków, a nawet o piciu wody. A tak dobrze byłoby wprowadzić system, w którym przez 90 minut pracujesz efektywnie,
a przez następne 10–15 minut robisz sobie przerwę. Takie regularne przerwy wykorzystaj na kilka krótkich ćwiczeń fizycznych, wykonanie kilku świadomych oddechów
przy użyciu przepony oraz na zjedzenie pożywnego posiłku lub wypicie wody.

Jeżeli zachowasz się inaczej, pracując w sposób ciągły, nie robiąc sobie przerw
– zmniejszasz swoją efektywność. Twoje dobre samopoczucie fizyczne zależy nie tylko
od odpowiedniego oświetlenia i dobrze wyprofilowanego krzesła, lecz także, a nawet
przede wszystkim od właściwego odżywiania i picia odpowiedniej ilości wody.

Zapamiętaj

> Dwuprocentowa utrata wody powoduje wystąpienie symptomów odwodnie-
> nia organizmu, takich jak przyspieszone tempo pracy serca, jak również nega-
> tywnie wpływa na podejmowanie decyzji oraz osłabia zdolność koncentracji.
> Dlatego nie zapominaj o wodzie!

Badania dostarczają coraz większej liczby dowodów na to, że wyniki finansowe uzy-
skiwane przez firmę są bezpośrednio związane z dobrym samopoczuciem jej pracowników. Większość ludzi spędza w pracy znaczną część swojego życia, a pogoda ducha

i dobre samopoczucie pozytywnie wpływają na skuteczność ich działań. Dzięki tej wiedzy coraz więcej firm na świecie wdraża programy zdrowotne dla pracowników. Na podstawie swoich doświadczeń firmy potwierdzają, że takie działanie prozdrowotne przynosi wymierne korzyści[22]:

> zmniejszenie zachorowań wśród pracowników;

> oszczędność na wydatkach na opiekę medyczną;

> ograniczenie nieobecności w pracy;

> większe zaangażowanie pracowników w sprawy firmy;

> zwiększenie efektywności pracowników;

> poprawa wyników finansowych firmy.

Piszę o tym, by zachęcić cię do inicjowania i rozwijania działań prozdrowotnych w twojej firmie. Możesz zorganizować grupę wsparcia dla osób, które wraz z tobą podejmą decyzję o zmianie stylu życia. Jej celem jest niesienie wzajemnej pomocy. Każdy potrzebuje akceptacji i poczucia, że może na kogoś liczyć. Wiele razy z kolegami z pracy nawzajem sobie doradzaliście – taki rodzaj wsparcia bardzo pomaga w procesie zmiany.

Badania przeprowadzone w kilku największych światowych koncernach wykazały, że programy nastawione na zapewnienie pracownikom lepszego samopoczucia w pracy są opłacalne i przynoszą więcej zysków, niż kosztują. Dowiodły one, że jeden zainwestowany dolar przyniósł ponad trzy dolary zysku[23].

Firmy, które wdrożyły kompleksowy program prozdrowotny obejmujący kontakt z diet coachem, badania lekarskie, gimnastykę, ofertę zdrowszych produktów w stołówce oraz dostęp do urządzeń dozujących wodę na terenie całego kompleksu, osiągnęły następujące wyniki:

> spożycie napojów słodzonych spadło o 15%, a spożycie wody wzrosło o 50%;

> średnia nieobecność w pracy w ciągu roku zmniejszyła się z 3,7 do 1,9 dnia;

> wydatki medyczne firmy zmalały o 13%;

> pracownikom obniżył się poziom cholesterolu i indeks masy ciała (BMI)[24].

Zapamiętaj

> Większość ludzi ma nawyki żywieniowe, które negatywnie wpływają na ich efektywność w pracy. Według Światowej Organizacji Zdrowia (WHO) odpowiednia dieta może podnieść poziom wydajności nawet o 20%[25].

Wielu chorobom i schorzeniom pracowników można zapobiegać poprzez wpływanie na zmianę szkodliwego nawyku, jakim jest niewłaściwe odżywianie. Najważniejsze jest to, że rodzaj stosowanej diety ma wpływ zarówno na obecny stan zdrowia, jak i na ewentualne zachorowania w przyszłości na choroby cywilizacyjne, takie jak cukrzyca, otyłość, rak i choroby serca. Pracodawca, który promuje odżywianie dla zdrowia wśród swoich pracowników, będzie więc czerpał korzyści ze swych działań zarówno teraz, jak i w przyszłości.

Z opowiadań moich klientów wynika, że często jedzą lunch przy biurku. Ze względu na presję czasową wielu z nich zadowala się kawą lub przekąską w postaci chipsów, ciastek czy orzeszków zjedzonych pośpiesznie pomiędzy spotkaniami. Oni sami zauważyli, że jedzą na spotkaniach to, co jest na stole (a jest to żywność wysoko przetworzona, taka jak: paluszki, orzeszki, cukierki, ciastka, soki), mimo że nie są głodni.

Badania przeprowadzone w firmach europejskich dotyczące zwyczajów żywieniowych pracowników wykazały, że niezrównoważona dieta, brak ruchu i stres w miejscu pracy wpływają negatywnie na wydajność całej firmy. Nieobecność pracowników, ich chorowanie to koszty większe niż te związane z zaoferowaniem im np. zdrowych przekąsek czy możliwości wykonywania ćwiczeń w trakcie pracy[26]. Pisząc o zdrowych przekąskach, myślę o warzywach i owocach dostępnych w trakcie zebrań, szkoleń czy konferencji.

Obecna sytuacja ekonomiczna sprawia, że pracując na etacie, żyjesz w coraz większym stresie, bo boisz się utraty pracy, przez co mniej troszczysz się o własne zdrowie, np. przychodzisz do pracy, gdy jesteś chory, zostajesz po godzinach. Tym samym masz mniej czasu na dodatkowe prozdrowotne działania. Gorszy stan zdrowia przekłada się nie tylko na częstszą absencję i mniejszą efektywność pracy, lecz także na wyższe koszty leczenia[27].

Z przytoczonych przykładów wynika, że inwestycja w zdrowie pracowników jest dochodowa i niezbędna. Promowanie w firmie idei zdrowego odżywiania się działa na korzyść firmy również dlatego, że w ten sposób zapewnia sobie ona efektywnych, odpowiedzialnych, a także zaangażowanych pracowników. W XXI w. jest to konieczna i nieodzowna forma inwestycji dla każdego przedsiębiorcy. Jest to też przydatna wskazówka dla ciebie: „zainwestuj" w swojego wewnętrznego diet coacha w pracy.

Jak wybierasz żywność?

Zanim zaczniesz czytać dalej, zrób krótką przerwę i zapisz na kartce, co bierzesz pod uwagę, gdy wybierasz żywność w sklepie lub na bazarze.

Jeżeli rzeczywiście zdecydowałeś się wprowadzić zmiany w swoim stylu życia, to dokładne i szczegółowe poznanie motywacji własnych wyborów żywieniowych jest niezbędne. Wiele różnorodnych czynników wpływa na zachowania żywieniowe każdego z nas. Bodziec podstawowy to poczucie głodu i sytości. Inne ważne przyczyny to:

> właściwości sensoryczne produktów spożywczych, takie jak smak, zapach, wygląd, kolor, konsystencja;

> indywidualne nawyki i przekonania dotyczące wyboru żywności, wiedza o odżywianiu się dla zdrowia i jej codzienne zastosowanie, wykształcenie, umiejętność przygotowywania potraw, jak również system wyznawanych wartości, inteligencja emocjonalna i własne obawy związane ze zmianą stylu życia;

> aspekty kulturowe i religijne (np. posty i czas ich trwania, produkty i napoje zabronione);

> czynniki ekonomiczne – ceny, zarobki.

Badania przeprowadzone we wszystkich państwach członkowskich Unii Europejskiej wykazały, że najważniejsze czynniki brane pod uwagę przy zakupie produktów spożywczych to: jakość/świeżość produktu (74%), cena (43%), smak (38%), postanowienie odnośnie do zdrowego odżywiania (32%) oraz preferencje najbliższych (29%). Wyniki pokazały, że wiedza na temat zdrowego odżywiania nie jest jednoznaczna ze zmianą stylu życia i nawyków żywieniowych. Potwierdzono też fakt, że względy zdrowotne nie są postrzegane jako najważniejsze przy wyborze żywności. Uważa się, że istotnymi czynnikami odpowiadającymi za zmianę sposobu odżywiania są potrzeba wprowadzenia zmian oraz poziom motywacji.

Na podstawie własnych doświadczeń w pracy diet coacha mogę stwierdzić, że wprowadzenie zmian w sposobie odżywiania związane jest również z rzeczywistą chęcią wcielenia ich w życie. Wiele osób mówi, że chce coś zmienić, czyta książki o odżywianiu, korzysta z porad dietetyka i niestety nie podejmuje konkretnych działań lub działania te są krótkotrwałe. Kolejna przeszkoda na drodze ku zmianie to preferencje smakowe i związane z nimi przekonania. Niektórzy uważają, że zdrowa żywność nie syci i jest niesmaczna. Wiele osób, z którymi współpracowałam, spożywanie żywności wysoko przetworzonej (bagietki z białej mąki, ciastka z kremem, nachosy, precle, chrupki, chipsy itd.) tłumaczyło brakiem czasu i uleganiem starym nawykom. Wymówką bywa też niedostępność zdrowej żywności w miejscu pracy.

Czynnikiem utrudniającym proces zmiany odżywiania jest brak wiedzy o właściwym sposobie żywienia. Często opierasz swoją wiedzę na mitach i powierzchownych, niesprawdzonych informacjach dotyczących żywności, jak również właściwego sposobu żywienia. Kupując żywność, nie bierzesz pod uwagę informacji zamieszczanych na etykietach.

Proces kształtowania wewnętrznego diet coacha da ci możliwość dokonywania świadomych wyborów żywieniowych. Wyniki badań dotyczących wyborów żywieniowych potwierdzają fakt, że kierujemy się potrzebami fizjologicznymi, czyli wspomnianym już uczuciem głodu i sytości. Żywność dostarcza energię i składniki odżywcze niezbędne do codziennego skutecznego funkcjonowania. To ośrodkowy układ nerwowy kontroluje równowagę pomiędzy stanem głodu i sytości.

Dokonując wyboru pożywienia, bierzesz pod uwagę smakowitość. Istnieje proporcjonalna zależność pomiędzy smakiem potrawy a przyjemnością odczuwaną w trakcie jedzenia i po jedzeniu. Im smaczniejsze jedzenie, tym więcej go spożywasz.

Często narzekasz, że nawyki żywieniowe twoich dzieci są katastrofalne, co oznacza, że spożywają wysoce przetworzone produkty, słodycze, duże ilości mięsa i nabiału, a minimalne ilości warzyw, owoców i roślin strączkowych. Wiadomo jednak, że kształtowanie nawyków żywieniowych odbywa się w domu, i to od najmłodszych lat. Im młodsze dzieci, tym wpływ rodziców większy, ponieważ w okresie dzieciństwa najmłodsi naśladują swoich opiekunów.

Istotny jest fakt, że jedzenie służy nie tylko do zaspokajania głodu fizycznego. Jesz również po to, by zaspokoić swój apetyt i emocje. Od dziecka pamiętasz, że żywność była używana, by nagradzać, świętować, uspokajać, zabawiać, pocieszać, zmniejszać smutek i ból.

Efektem zaspokajania potrzeb emocjonalnych przy użyciu jedzenia jest nagły przyrost masy ciała. U osób cierpiących na zaburzenia odżywiania, takie jak kompulsywne

objadanie się, anoreksja czy bulimia, występuje intensywna pokusa spożycia określonego produktu lub rodzaju pożywienia, której trudno jest się oprzeć. W rzeczywistości takie nieopanowane łaknienie występuje dość często i odczuwa je większość
ludzi, którzy mają niezrównoważoną dietę. Do produktów, które najczęściej są celem
w sytuacji nieopanowanego łaknienia, należy np. czekolada (zdaniem 40% kobiet),
a ogólnie – te, które zawierają dużo tłuszczów, cukrów i soli.

Jeśli działania promujące zmianę sposobu odżywiania mają być skuteczne, powinno
się w nich uwzględniać również – poza zdrowiem fizycznym – czynniki ekonomiczne, społeczne i psychologiczne. Dokonanie zmiany sposobu żywienia związane jest
z rozwojem samoświadomości, samokontroli, systematyczności oraz wiarą we własne
siły i możliwości.

Co wyróżnia wewnętrznego diet coacha?

Model wewnętrznego diet coacha oparty jest na następujących filarach:

> ty jesteś ekspertem: wiesz, jaka żywność ci służy, a jaka powoduje skutki
> negatywne, oraz jak twoje ciało reaguje na zmianę zachowań i emocji
> związanych z jedzeniem;

> ty znajdujesz rozwiązania, które przybliżają cię do celu i są zgodne z zasa-
> dami racjonalnego odżywiania oraz twoim stanem zdrowia;

> ty szukasz wewnętrznej motywacji;

> ty szukasz wsparcia i współpracy w procesie zmiany;

> ty wiesz, co masz robić, i wymagasz tego od siebie;

> ty nazywasz przeszkody pojawiające się na drodze do osiągnięcia celu.

Właśnie takie działanie powoduje zmniejszanie oporu związanego ze zmianą, a każde
nowe doświadczenie przybliża cię ku wymarzonym rezultatom.

Natomiast jeśli przystępujesz do stosowania określonej diety, to:

> stosujesz zalecenia diety zgodnie z myślą „bo tak trzeba", nawet gdy: czujesz
> głód, boli cię brzuch, jesteś ospały, nie masz siły;

> masz narzucone z góry, co trzeba zrobić, by schudnąć;

> nie masz przemyślanego planu działania, nie wiesz, jakie zachowania
> chcesz zmienić, nie odpowiedziałeś sobie na podstawowe pytanie: „po co?",

> twoja motywacja jest krótkotrwała albo jej nie masz. W sytuacjach trudnych nie wiesz, co robić, i ignorujesz pojawiające się przeszkody. W rezultacie zmiany są krótkotrwałe bądź ich nie ma, twój opór rośnie, a ty znowu tracisz swoje poczucie własnej wartości.

Różnice pomiędzy budowaniem wewnętrznego diet coacha, czyli świadomym odżywianiem się, a stosowaniem z góry określonych warunków różnych diet są oczywiste. Pierwszy krok ku zmianie należy do ciebie.

Stres a odżywianie dla zdrowia

Stres ma charakter psychofizjologiczny. Fizyczne czynniki redukujące stres to właściwa dieta, przyjazne otoczenie, dobra kondycja fizyczna, aktywny wypoczynek, kontakt z ludźmi i naturą. Czynniki psychiczne to pozytywne nastawienie do siebie, życia, świata – innymi słowy umiejętność pozytywnej interpretacji różnych wydarzeń.

Dieta redukująca poziom stresu oparta jest na wiedzy dotyczącej właściwości niektórych pokarmów i ich wpływu na nastroje. Niektóre pokarmy działają pobudzająco, a niektóre uspokajają, spożywane w nadmiarze mogą być przyczyną stresu lub mogą ten stres łagodzić.

Wiadomo, że organizm powinien być lekko zasadowy, aby mógł dysponować alkalicznymi rezerwami na kwasotwórcze warunki, takie jak stres, brak ruchu albo złe nawyki żywieniowe. Najbardziej alkalizującymi produktami są owoce, warzywa, kiełki, młode pędy zbóż oraz zioła. Pokarmy alkalizujące działają uspokajająco i tym samym zmniejszają poziom stresu w organizmie.

Pokarmy zakwaszające, takie jak kawa, herbata, czekolada, mięso, cukier, biała mąka, orzechy, alkohol i konserwanty, spożywane w nadmiarze działają pobudzająco i mogą zwiększać stres.

Równowaga kwasowo-zasadowa może ulec zmianie na skutek prostych praktyk jak namaczanie umiarkowanie kwasotwórczych pokarmów – pełnych zbóż i roślin strączkowych – przed gotowaniem. Innym wysoko zasadotwórczym procesem jest dokładne przeżuwanie takich węglowodanów złożonych jak zboża, warzywa, rośliny strączkowe w celu zmieszania ich ze śliną, która jest wysoko zasadowym płynem.

Trudno ustalić w diecie właściwą proporcję pokarmów kwaso- i zasadotwórczych, ponieważ równowaga między nimi ulega zmianie w wyniku przeżuwania pożywienia, wcześniejszego przygotowywania pokarmów, ćwiczeń i stylu życia. Ma ona związek nawet z „poziomem" pozytywnego myślenia.

Ogólna zasada to zwiększenie ćwiczeń fizycznych, bycie uważnym, przejście na lżejszą, bardziej zasadową dietę. Należy podkreślić, że nastawienie do jedzenia, sposób i miejsce, w którym jemy, są tak samo ważne dla zdrowia i przeciwdziałania stresowi jak to, co jemy.

Praktyczne sposoby radzenia sobie ze stresem[28]

Z przytoczonych poniżej sposobów radzenia sobie ze stresem wybierz na początek jeden i stosuj go systematycznie przez 21 dni, po czym dodaj do niego następny sposób. Istotna jest konsekwencja. Nie zrażaj się po 2–3 dniach, daj sobie czas, by poczuć, co daje ci np. spokojne zjedzenie śniadania lub regularne ćwiczenia.

1. Rozpoczynaj dzień ciepłym, gotowanym posiłkiem na śniadanie – jedz bez pośpiechu, siedząc przy stole.
2. Zamień kolejną kawę na kawę zbożową, porcję owoców, sok wyciśnięty z owoców lub warzyw.
3. Czasami zmieniaj swoje nawyki i np. nie kupuj w kinie jedzenia, zamiast chipsów czy ciasteczek przygotuj sobie jako przekąskę marchewkę, seler naciowy albo owoce, pamiętając, by jeść świadomie, a nie mechanicznie, pracując przy komputerze lub oglądając telewizję.
4. Wyznacz priorytety w swojej pracy.
5. Nie próbuj być doskonały. Nie czuj się tak, jakbyś musiał zrobić wszystko.
6. Zbuduj swoją sieć wsparcia – wśród rodziny, przyjaciół, partnera, małżonka, pracowników itp.
7. Jeśli to możliwe, zmniejsz poziom hałasu w swoim otoczeniu.
8. Zawsze rób przerwę na lunch, ale nie przy biurku.
9. Regularnie ćwicz, przynajmniej dwa razy w tygodniu po 30 minut. Możesz zacząć od 10 minut. Ważne jest, by się w ogóle ruszać.
10. Unikaj ludzi, którzy są ciągle zestresowani.
11. Unikaj ludzi, którzy są ciągle „na nie".

12. Pamiętaj, by codziennie pochwalić siebie przynajmniej za trzy rzeczy.

13. Celebruj swoje święta i uroczystości, wyznacz własne okazje do świętowania.

14. Funduj sobie nowe i dobre rzeczy.

15. Bądź asertywny. Naucz się mówić o swoich potrzebach. Naucz się prosić i mówić NIE.

16. Nie bój się pytać i prosić o pomoc.

17. Weź kilka głębokich oddechów, gdy czujesz się zestresowany.

18. Próbuj znaleźć coś śmiesznego w trudnej sytuacji.

19. Chroń siebie w trudnej sytuacji, np. weź dzień wolny w pracy.

20. Zaadoptuj zwierzę.

21. Idź na spacer i skup na nim całą swoją uwagę.

22. Zrozum, że nie możesz wszystkiego zobaczyć i zrobić w tym samym czasie.

23. Ucz się żyć „tu i teraz".

24. Bądź mniej agresywnym kierowcą – na czerwonym świetle pamiętaj o głębokim oddechu.

25. Pokaż swoją uprzejmość i uznanie innym, np. otwórz komuś drzwi, powiedz komuś, że ładnie wygląda lub że bardzo dobrze pracuje nad projektem itd.

26. Kiedy jesteś zestresowany, zapytaj siebie: czy to naprawdę ważne? Lub: jakie znaczenie będzie to miało dla mnie za rok?

27. Ucz się uważniej słuchać innych.

28. Bądź elastyczny w procesie zmiany, pamiętaj, że sprawy nie zawsze układają się według naszego planu.

29. Dbaj o to, by nie osądzać i nie krytykować innych.

Rozdział 4
Świadome zarządzanie wagą

Z tego rozdziału dowiesz się:

> co jest najbardziej pomocne w procesie redukowania wagi;

> jak łączyć pokarmy, by pożywienie było maksymalnie strawne;

> jak stworzyć swój talerz zdrowia;

> co robić, by nie odpinać guzika przy stole.

Program zarządzania wagą ciała[29]

Program długoterminowej zmiany wagi ciała w procesie budowy wewnętrznego diet coacha opiera się na trzech podstawach. Są to:

1. codzienne rozwijanie świadomości;
2. codzienna aktywność fizyczna – dbałość o swoje ciało poprzez ruch (najlepiej ćwiczyć godzinę dziennie);
3. pełnowartościowe pożywienie – zrównoważona dieta składająca się z nierafinowanych pokarmów (nieprzetworzone zboża i warzywa).

Powyższe działania stosowane konsekwentnie są bardzo skuteczne i z reguły podejmowanie innych jest niepotrzebne. O pierwszym i drugim punkcie programu przeczytasz więcej w dalszej części poradnika. W tym rozdziale poznasz praktyczne wskazówki sprzyjające zmniejszeniu wagi ciała. Stosując poniższe zalecenia, zwróć uwagę na zwiększenie w swoim jadłospisie ilości spożywanych warzyw i roślin strączkowych oraz owoców.

1. Rośliny strączkowe

W Polsce jest dostępnych wiele odmian fasoli, groch, groszek, soczewica, bób, kiełki fasolki mung. Wszelkiego rodzaju zupy, pasztety, sałatki, w których głównym składnikiem są rośliny strączkowe, na pewno wzbogacą twoje menu.

Rośliny strączkowe u osób, które nie jedzą ich regularnie, mogą powodować różne zaburzenia trawienne, takie jak gazy, dolegliwości jelitowe, rozdrażnienie. Wraz ze zwiększeniem ich udziału w jadłospisie powróci prawidłowe funkcjonowanie układu trawiennego.

Do tego czasu możesz poprawić strawność roślin strączkowych poprzez:

> dokładne ich przeżuwanie;

> łączenie w jednym posiłku roślin strączkowych z zielonymi warzywami i wodorostami, takimi jak kombu czy wakame (kombu dodane do fasoli skróci czas jej gotowania);

> solenie pod koniec gotowania;

> dodawanie w trakcie gotowania nasion kopru włoskiego lub kminku;

> namaczanie roślin strączkowych przez noc, potem wylanie wody, w której się moczyły, nalanie świeżej i zagotowanie. Tę czynność można powtórzyć 2–3 razy.

Jeśli powyższe działania nie powodują ustąpienia zaburzeń trawiennych, możesz pod koniec gotowania do wody z roślinami strączkowymi wlać trochę octu jabłkowego lub winnego.

2. Warzywa

Wszystkie warzywa są zdrowe i mają pozytywny wpływ na utrzymanie prawidłowej masy ciała. Szczególnie polecane to sałata, seler, kalarepa, szparagi i szczypiorek. Zalecane jest jedzenie warzyw surowych i/lub lekko gotowanych.

3. Owoce i słodycze

> Bardzo słodkie owoce, jak figi, daktyle, owoce suszone, mogą przeszkadzać w odchudzaniu. Oszczędnie należy stosować owoce bogate w skrobię lub oleje, takie jak banany, awokado i kokos.

> Codzienne spożycie cytryny lub grejpfruta wraz z nasionami, miąższem i niewielką ilością wewnętrznej skórki może być doskonałym środkiem odchudzającym. Jeśli po spożyciu występuje uczucie wychłodzenia i dreszcze, należy z nich zrezygnować.

> Owoce takie jak jabłka, śliwki, brzoskwinie, jagody, pomarańcze i gruszki działają oczyszczająco i są wskazane dla osób z nadwagą. Należy zwrócić uwagę, czy po spożyciu występuje zmęczenie, ospałość, emocjonalna ociężałość; jeśli tak – trzeba zmniejszyć ich ilość.

> Polecany jest miód surowy, czyli niepodgrzewany, a jeśli chcemy nim posłodzić herbatę, miód może być podgrzewany tylko do 60°C.

4. Zboża

Dobry wpływ na zdrowie mają zboża takie jak: brązowy, czerwony i dziki ryż, kasza gryczana, amarantus, proso (kasza jaglana), quinoa, polenta i kukurydza oraz owies i pozostałe zboża, jeśli nie uczulają. Dotyczy to również ryżu basmati, ale nieoczyszczonego, i ziaren kukurydzy, które działają moczopędnie, przez co usuwają nadmiar wody zalegającej w tkankach.

5. Orzechy, nasiona i oleje należy stosować oszczędnie

Dwa wyjątki to nierafinowany tłoczony na zimno olej lniany i oleje bogate w kwas GLA.

Olej lniany nierafinowany tłoczony na zimno to najbogatsze źródło kwasów tłuszczowych omega-3 – zapewnia równowagę hormonalną konieczną do zachowania dobrej kondycji organizmu.

Zapamiętaj

Zalecane dzienne spożycie oleju lnianego[30]:

> 1 łyżeczka oleju lnianego dodana do pożywienia;

> lub 4 łyżki stołowe mielonego siemienia lnianego przyjmowane z posiłkiem;

> lub 4 łyżki namoczonego siemienia lnianego.

Siemię namaczaj w wodzie przez 4–8 godzin, po czym wypij wodę i/lub zjedz nasiona, dobrze przeżuwając jako odrębny pokarm, nie łącząc go z innym pożywieniem. Nasiona pomagają przy spowolnionym trawieniu, nawilżają jelita i z tego powodu są stosowane przy zaparciach.

Zasobne w GLA są oleje z nasion wiesiołka, ogórecznika i czarnej porzeczki. Dzienna dawka GLA to 125 mg. Bezwzględnie należy unikać uwodornionych tłuszczów, tj. margaryn i smarowideł masłopodobnych, oraz olejów rafinowanych, które zakłócają szybki przebieg spalania tłuszczów.

6. Produkty pochodzenia zwierzęcego

Zrezygnuj z jajek i nabiału z mleka krowiego. Ogranicz potrawy z mięsa, korzystne jest jedzenie dziko żyjących ryb i drobiu swobodnie żerującego. Polecane jest spożycie nabiału z mleka koziego, który normalizuje wagę ciała.

7. Przyprawy i dodatki

Należy używać nierafinowanej pełnej soli (np. soli morskiej nieoczyszczonej), i to oszczędnie. Miso, sos sojowy, solone śliwki, pikle i inne słone produkty powinno się stosować w ograniczonych ilościach. Sól spożywana w zbyt dużych ilościach powoduje wstrzymywanie płynów w ciele. Wszelkie ostre przyprawy wzmagają krążenie i zwiększają tempo przemiany materii, dlatego z rozwagą należy używać takich dodatków jak: kmin, imbir, goździki, mięta zielona, koper włoski (fenkuł), anyż i pieprz kajeński.

Ważne jest obserwowanie tego, jak się czujesz po ich spożyciu. Jeśli np. obserwujesz czerwienienie skóry, wypieki, to porozmawiaj z diet coachem lub lekarzem. Możesz wtedy stosować inne produkty, takie jak: mięta pieprzowa, rumianek, kalarepa, rzod-kiew, rzepa, biały pieprz. Polecana jest herbata zielona lub bancha o łagodniejszym smaku. Lucernę, która wspomaga spadek wagi ciała, możesz jeść w postaci kiełków.

Efekt maksymalnej strawności[31]

Poniżej znajdziesz zestawienia pokarmów w jednym posiłku zapewniające maksy-malną strawność.

1. Białka – suche nasiona, fasole, soczewicę, groch i ich kiełki, tofu, tempeh, miso, orzechy, ser, jogurt, jajka, ryby, drób, mięsa – łączymy z **nieskrobiowymi warzy-wami**, jak zielone warzywa liściaste, kapusta, kalafior, brokuły, kiełki lucerny, seler naciowy, szparagi, rzodkiew, ogórek, cukinia, cebula, czosnek, grzyby, zielona fasolka, groszek słodki, pomidory, świeża kukurydza, wodorosty, mikroalgi.

2. Węglowodany i warzywa skrobiowe – zboża i ich kiełki, chleb, makaron, kasze, ziemniaki, słodkie ziemniaki, buraki, pasternak, marchew, kabaczki, dynię – łączymy z **nieskrobiowymi warzywami**.

3. Tłuszcze i oleje, np. awokado, oliwki, masło, śmietanę, olej sezamowy, olej z sie-mienia lnianego, oliwę z oliwek itd., łączymy z **węglowodanami i warzywami**.

4. Owoce słodkie, jak figa, banan, daktyle i inne suszone owoce, **łączymy z pół-słodkimi owocami**.

5. Półsłodkie owoce – jabłka, jagody, gruszki, morele, brzoskwinie, śliwki, wiśnie, winogrona, mango, papaję – łączymy z **kwaśnymi owocami**, jak np. cytryna, limonka, grejpfrut, pomarańcza, truskawka, ananas, granat, kiwi.

Wskazówka

Zarówno białko, jak i skrobia dobrze łączą się z zielonymi i nieskrobiowymi warzywami, ale nie w tym samym posiłku; podobnie „nie pasują" do siebie słodkie i kwaśne owoce. Przypomnę, że podane powyżej zestawienia mają służyć maksymalnej strawności. Przetestuj te połączenia przez 3–4 tygodnie i zobacz, czy ci służą.

Łącząc w jednym posiłku warzywa z białkami lub warzywa z węglowodanami, pamiętaj o ograniczeniach:

> Melony jedz osobno.

> Mleko pij osobno.

> Cytryna, limonka, pomidor są kwaśnymi pokarmami, dobrze łączą się z zielonymi i nieskrobiowymi warzywami.

> Sałata i seler naciowy dobrze komponują się ze wszystkimi owocami.

> Orzechy, nasiona oleiste, ser, jogurt, kefir i inne fermentowane produkty mleczne (które zalicza się do wysokotłuszczowych białek) dobrze łączą się ze wszystkimi kwaśnymi owocami.

Zalecane dzienne proporcje grup pokarmowych

Jedzenie pokarmów według przedstawionych poniżej proporcji to kolejny krok ku zdrowiu. Zakres każdej grupy żywności jest odpowiednio szeroki i możesz dostosować go do swoich indywidualnych potrzeb. Jeżeli należysz do osób zdrowych, które wcześniej jadły niewiele mięsa i nabiału, spożycie tych pokarmów może być utrzymane bądź ograniczone. Jeśli zaś należysz do osób, które spożywają duże ilości mięsa i nabiału, to być może ograniczysz ich spożycie na rzecz produktów białkowych pochodzenia roślinnego.

Poniższe proporcje wagowe przedstawiają jadłospis, w którym główną rolę odgrywają zboża i warzywa. Tak skomponowana dieta dostarcza witaminy, minerały, błonnik, jak również niezbędne ilości białka, tłuszczy nienasyconych i nasyconych oraz węglowodanów. Ludzie, którzy odżywiają się w ten sposób, utrzymują stałą wagę, żyją w zdrowiu, a ryzyko chorób cywilizacyjnych jest w ich przypadku znacznie mniejsze.

> 35–60%: zboża – pełne zboża, kasze, kiełki zbóż i produkty mączne z mąki z pełnego przemiału;

> 20–25%: warzywa – korzeniowe, skrobiowe, liściaste; wodorosty i mikroalgi;

> 10–15%: rośliny strączkowe – fasole, groch, soczewica, kiełki roślin strącz-
kowych, tofu, miso itd.;

> 10–15%: owoce (awokado), orzechy, nasiona: dyni, słonecznika, siemię
lniane itp.;

> 0–10% (dwa razy w tygodniu): pokarmy zwierzęce – nabiał, jajka, ryby;

> raz w tygodniu lub rzadziej: mięso drobiowe;

> okazjonalnie: słodycze, pełne mleko, żywność przetworzona, oleje rafino-
wane, mięso czerwone[32].

Jak stworzyć swój „talerz zdrowia"?

Na kolejnej stronie przedstawiam „talerz zdrowia", który w szczegółach możesz wypeł-
niać każdego dnia. W obliczu narastającej epidemii otyłości, cukrzycy i chorób serca
najwięcej miejsca w twoim codziennym jadłospisie warto przeznaczyć na warzywa
i owoce. Zadbaj o to, by stanowiły przynajmniej połowę powierzchni twojego talerza
podczas każdego posiłku. Warzywa możesz jeść w nieograniczonych ilościach, owoce
natomiast mogą stanowić przekąski.

Pełne ziarna zbóż i kasze zajmują kolejną ćwiartkę talerza, a ostatnie wolne miejsce należy do białek, a więc roślin strączkowych, drobiu, ryb, tofu. Pozostałe grupy żywności,
tj. mięso czerwone, słodycze, nabiał, przetworzoną żywność itd., umieszczasz w swoim jadłospisie okazjonalnie.

Ilość poszczególnych grup żywności na talerzu wskazuje na konieczność ograniczenia
produktów obciążających układ pokarmowy, takich jak słodycze, wołowina, wieprzo-
wina, sery, pełne mleko, wysoce przetworzona żywność i oleje rafinowane.

Jeśli spożywasz nabiał, to zadbaj, by był wysokiej jakości. Podzielam również zdanie,
że po okresie niemowlęctwa produkty mleczne są uzupełnieniem diety, nie stanowią
jej podstawowego składnika; i to tylko wtedy, gdy organizm dobrze je przyswaja. Jeżeli nabiał jest jednym ze składników twojej diety, to zadbaj o spożywanie surowego,
pełnotłustego mleka ze sprawdzonych źródeł, jak również wytwarzanych z niego produktów, w tym nabiału kwaszonego lub fermentowanego typu kefir, jogurt, maślan-
ka, kwaśne mleko czy twarożek. Zalecane jest też mleko kozie i nabiał z mleka koziego.

Jeżeli pijesz mleko pasteryzowane lub źle trawisz surowe mleko, to dobrze jest je szybko zagotować, a następnie ostudzić. Poprawia to trawienie, bo następuje ostateczne rozerwanie łańcuchów białkowych. Nie zaleca się spożywania mleka homogenizowanego, ponieważ pozwala ono na przenikanie do układu krwionośnego enzymu, który go uszkadza i w ten sposób przyczynia się do osadzania złogów tłuszczowych w naczyniach krwionośnych.

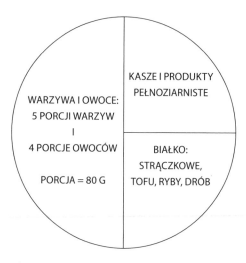

Rys. 1. Talerz zdrowia (na podstawie: © Dana-Farber Cancer Institute and Levinson Harris Medical Group, Boston, MA, 2008; www.instituteoflifestylemedicine.org – stan na 15 lutego 2012 r.).

Jedzenie dużej ilości warzyw i innych produktów roślinnych każdego dnia jest istotne, ponieważ zawarte w nich witaminy, minerały, błonnik i antyoksydanty (karotenoidy, polifenole, fitosterole i in.) chronią nasze zdrowie. Związki chemiczne zawarte w roślinach mają działanie immunologiczne, przeciwdziałają rakowi, cukrzycy, chorobom układu krążenia. Biorą udział w procesach obniżających poziom cholesterolu.

Wskazówka

Zadbaj o to, by twoje sałatki były bardzo kolorowe. Przygotuj sobie talerz z warzywami w kolorach tęczy. To najprostsza droga do dostarczenia wszystkich składników odżywczych.

Pamiętaj, że żywność oprócz trzech podstawowych elementów, takich jak: białka, tłuszcze i węglowodany, składa się jeszcze ze składników odżywczych, tj. witamin, minerałów, błonnika i przeciwutleniaczy.

Wymieniona przeze mnie grupa podstawowych elementów „talerza zdrowia" dostarcza twojemu organizmowi kalorii, czyli energii. Składniki odżywcze, takie jak witaminy, minerały, błonnik i antyoksydanty, możemy nazwać niekalorycznymi. Te właśnie niekaloryczne, odżywcze elementy są niezbędne do zdrowego życia. Wielu badaczy podkreśla, opierając się na obserwacjach osób z chorobami cywilizacyjnymi, że znacznie łatwiejsza jest kontrola wagi i zdrowia, gdy w jadłospisie ilość składników odżywczych znacznie przewyższa ilość składników dostarczających kalorie. Innymi słowy, jeśli jesz większe ilości żywności zawierającej dużo składników odżywczych, a więc witamin, minerałów, błonnika i antyoksydantów, jesteś zdrowszy i kontrolujesz swoją wagę. Poza tym nie odmawiasz sobie jedzenia, nie jesteś głodny, a twój apetyt – w porównaniu do żywności o niskiej wartości odżywczej – się zmniejsza. Dzięki temu krok po kroku przestajesz być uzależniony od żywności niepełnowartościowej.

Taka zmiana diety połączona z aktywnością fizyczną i rozwojem samoświadomości spowoduje, że zlikwidujesz otyłość, poprawisz swoje wyniki w badaniach krwi i moczu, będziesz lepiej spać i będziesz miał więcej energii do pracy i życia. Zmiana diety i ukształtowanie wewnętrznego diet coacha przyczyni się też do zmniejszenia prawdopodobieństwa wystąpienia chorób cywilizacyjnych.

Nie odpinaj guzika – określ wielkość porcji

Zastanawiasz się, jak ma wyglądać porcja pożywienia, która jest dla ciebie odpowiednia? Wielkość porcji każdego spożywanego posiłku możesz określić za pomocą swoich dłoni. Jeżeli ściśniesz je w pięści, a następnie złączysz, to zobaczysz, jaką dokładnie wielkość ma twój żołądek. Taka „miara objętościowa" każdego twojego posiłku jest maksymalna i byłoby dobrze, gdybyś jej nie przekraczał.

Przeładowanie jakiegokolwiek urządzenia mechanicznego powoduje krótszą jego eksploatację i możliwość usterek. Jeśli porównamy żołądek do pralki, to wsad do prania nie powinien przekraczać 80% pojemności bębna, zakładając, że chcemy wykorzystać maksymalnie możliwości urządzenia. Jeśli te normy przekroczymy, prane rzeczy mogą być niedoprane, bardzo pogniecione, a pralka może się popsuć. Podobnie jest z naszym układem trawiennym.

Przypomnij sobie sytuacje, gdy najadasz się zbyt obficie lub jesz produkty, które ci szkodzą. W większości przypadków dopiero po zjedzeniu czujemy nadmierne wypełnienie żołądka i musimy odpiąć guzik. Wyobraź sobie, co wtedy musi zrobić twój żołądek i całe ciało, by wrócić do normalnego funkcjonowania.

Właściwe jest zjadanie takich porcji, po których czujesz się syty, ale nie przejedzony. Każdy z nas może rozpoznać właśnie ten moment dzięki uważności w trakcie jedzenia. Jak się tego nauczyć? O tym przeczytasz w dalszej części poradnika.

Naukowcy od dawna interesowali się tym, jak zmieniała się wielkość porcji posiłków. W tym celu przeanalizowali nawet słynne malowidło ścienne Leonarda da Vinci „Ostatnia wieczerza". Obraz ten wybrano na obiekt badawczy ze względu na jego rozpoznawalność. Jest on najbardziej znanym dziełem sztuki przedstawiającym wspólny posiłek.

Amerykańscy naukowcy z Uniwersytetu Cornella przeanalizowali kilkadziesiąt znanych obrazów, których tematem jest ostatnia wieczerza Jezusa z uczniami. Analiza dotyczyła rozmiarów dań i naczyń, na których było podawane jedzenie. Wymiary talerzy, porcji, chleba porównano ze średnim rozmiarem głów apostołów. Stwierdzono, że w ciągu tych wszystkich lat nasz apetyt stopniowo wzrastał, a dania i naczynia systematycznie się powiększały, co sprzyjało coraz powszechniejszemu przejadaniu się. Wyniki badań pokazują, że danie podstawowe zwiększyło się o 69%, talerze o 66%, a porcja chleba o 23%.

Te proporcje ciągle rosną. W ostatnim czterdziestoleciu znacznie wzrosła produkcja żywności. Od lat 70. XX w. w naszym pożywieniu zaczyna gościć żywność przetworzona, najpierw w postaci dań mrożonych czy słynnego hamburgera. W latach 80. ubiegłego wieku wynaleziono kuchenkę mikrofalową, a wraz z nią przetworzona żywność była coraz bardziej pożądana i w coraz większych ilościach pojawiała się na naszych talerzach. Rezultatem tych zmian jest wzrost wagi ciała, a co się z tym wiąże – rozmiarów noszonych przez nas ubrań. Dostępność pożywienia, jego zróżnicowanie, wielorakie bodźce zewnętrzne, stres, jak również brak wewnętrznych ograniczeń powodują, że coraz więcej osób je za dużo[33].

Rozdział 5
Bariery związane ze zmianą stylu życia

Z tego rozdziału dowiesz się:

> jak wygląda twoja „góra lodowa";

> na jakie przeszkody możesz trafić na drodze rozwoju wewnętrznego diet coacha;

> jak bezradność zmienić w działanie;

> jak ważne jest świętowanie osiągnięć.

Twoja „góra lodowa"

Zwykle, kiedy przytyjesz lub zachorujesz, masz gorsze wyniki badań krwi i moczu, zaczynasz próbować różnych diet, udajesz się do lekarza, przyjmujesz różnego rodzaju środki odchudzające. Po pewnym czasie osiągasz pożądany rezultat. Niestety poprawa trwa krótko, po czym sytuacja się powtarza. Wpadasz wtedy w złość, jesteś sfrustrowany. Tak naprawdę chciałbyś żyć inaczej, ale wikłasz się w serię kolejnych niechcianych zdarzeń. Wówczas dobrze by było spojrzeć na wszystko z dystansu – zobaczyć, jak możesz żyć łatwiej i czuć się dobrze ze sobą. Takie spojrzenie z góry, z innej perspektywy to ważny krok na drodze do zmiany.

Spoglądając z boku, możesz zobaczyć, jak funkcjonuje cały twój system, czyli ty w twoim świecie. Szczegóły stają się mniej istotne, widzisz więcej, zaczynasz dostrzegać wyłaniające się wzorce zachowań.

Możesz przypomnieć sobie, jak zmieniały się twoje preferencje pokarmowe, nawyki i przekonania żywieniowe. Spojrzenie wstecz pozwala dostrzec, że bardzo często doświadczane przez ciebie problemy są konsekwencją twoich decyzji związanych z wyborem produktów, ze szkodliwymi emocjami towarzyszącymi jedzeniu, przekonaniami, które teraz ci nie służą. Możesz zauważyć, że to ty sam stwarzasz wiele swoich problemów, a nie czynniki zewnętrzne będące poza twoją kontrolą.

Kiedy wlejemy do dzbanka za dużo wody – wystarczy wytrzeć to, co się rozleje. Problem ogranicza się do danego momentu w czasie oraz stołu, na którym znajduje się dzbanek. Można go szybko rozwiązać. Inaczej wygląda to w przypadku złożonych problemów. Proces budowania wewnętrznego diet coacha pokazuje, że skutki twojej obecnej sytuacji związane są z powodami często odległymi w czasie i przestrzeni.

Twój obecny kłopot związany ze zdrowiem czy wyglądem jest wynikiem szeregu różnych decyzji podjętych na przestrzeni kilku bądź wielu lat. Gdy zaczynasz mieć problemy z wagą bądź zdrowiem, twoje myślenie przebiega w sposób liniowy: przyczyna – skutek. „Jeśli nadal będę jeść ciastka, to będę tyć; jeśli przestanę, to schudnę". Czy rzeczywiście tak się stanie?

Patrząc z szerszej perspektywy, masz możliwość dostrzec, że z reguły każdy skutek staje się przyczyną kolejnego zdarzenia, a każda przyczyna jest też skutkiem jakiegoś zdarzenia. Pojawia się obraz złożony z relacji przyczynowych. Dobrym wskaźnikiem chudnięcia jest czas. Każdy z nas ma wyobrażenie tego, jaki jest pożądany czas osiągnięcia właściwej wagi. Stosowanie porad dietetyka i ćwiczenia powodują, że stajesz się szczuplejszy. Niestety zwykle na krótko. Zaczynasz powoli wracać do starych zachowań.

Wyobraź sobie teraz górę lodową jako metaforyczny obraz twojego zdrowia, wagi, wyglądu czy stylu życia. Pozostając w świecie swoich zachowań, nawyków i przekonań, jesteś na jej powierzchni, na wierzchołku. To właśnie tu odbywa się większość twoich rozmów z bliskimi, przyjaciółmi, lekarzami, dietetykami, trenerami. Poszerzając perspektywę w czasie i przestrzeni, możesz zejść w głąb góry lodowej i zacząć analizować swoje wzorce i zachowania. Schodząc jeszcze niżej, dojdziesz do przekonań, wartości, sposobów postrzegania i myślenia, które determinują twoje życie. Są one dla ciebie tak oczywiste, że często nie uświadamiasz sobie ich istnienia. Uświadomienie sobie tego jest zwykle bardzo trudne, ponieważ istnieje wiele mechanizmów obronnych, które utrudniają zmianę ukrytych założeń. Jedyną drogą prowadzącą do trwałych zmian jest faktyczna zmiana sposobu myślenia i postrzegania świata na taki, który w pełni będzie zgodny z twoimi potrzebami i wartościami.

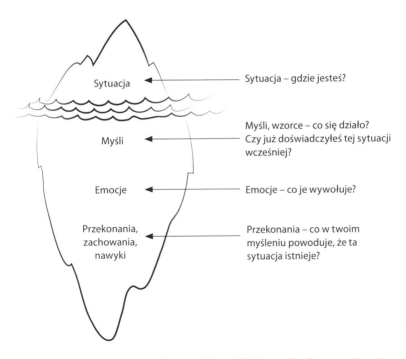

Rys. 2. Góra lodowa jako metaforyczny obraz działań potrzebnych w procesie zmiany stylu życia – na podstawie: Magnuszewski P., *Myślenie systemowe*, „Zielone Brygady. Pismo Ekologów", nr 12 (233), Kraków 2007, s. 26.

Bariery na drodze do rozwoju wewnętrznego diet coacha

Najważniejsze bariery związane z budowaniem wewnętrznego diet coacha dotyczą:
> motywacji;
> przekonań;
> podejmowania decyzji;
> poczucia własnej wartości;
> odpowiedzialności.

Motywacja

Motywacja jest uznawana za fundament procesu zmiany. Istotą motywacji jest gotowość, chęć i zdolność do zmiany. Innymi słowy osoba zmotywowana to taka, która ma ważne osobiste powody, aby coś zrobić i jednocześnie wierzy, że osiągnięcie tego jest możliwe. Motywacja oznacza zaangażowanie i robienie czegoś z pasją.

Do osiągnięcia sukcesu potrzebne są powody i przekonanie, że potrafisz to zrobić. Skuteczne wprowadzanie zmian dotyczących odżywiania, wyglądu czy stylu życia związane jest przede wszystkim ze świadomym działaniem. W procesie kształtowania wewnętrznego diet coacha działasz w oparciu o świadome wybory i decyzje, aktywność fizyczną i wiedzę związaną z żywnością i odżywianiem. Wszystko to gwarantuje sukces, realizację celów i spełnienie marzeń.

Od czego zacząć w sytuacji, gdy zaczniesz tracić motywację, zapał do ćwiczeń będzie malał, stres według twojej oceny wcale nie będzie się zmniejszał, waga już od tygodnia będzie pokazywała taką samą liczbę kilogramów? Jak poradzić sobie wtedy, gdy tracisz wiarę w całe przedsięwzięcie?

1. Na początek warto określić, jak bardzo zmiana wagi czy wyglądu jest dla ciebie ważna, czy naprawdę jej chcesz. Prowadząc sesje diet coachingu, proszę moich klientów, by odpowiedzieli na poniższe pytania:

> Co się zmieni w twoim życiu, gdy schudniesz (osiągniesz zamierzony wynik)?
> Co się zmieni w twoim życiu, gdy nie schudniesz (nie osiągniesz zamierzonego wyniku)?
> Co się nie zmieni, gdy schudniesz?
> Co się nie zmieni, gdy nie schudniesz?

2. Po to, by poznać swój stopień motywacji, zrób też ćwiczenie plusów i minusów. Odpowiedz na pytanie, jakie korzyści daje ci obecna sytuacja oraz jakie straty ponosisz, nie wprowadzając w swoim życiu żadnych zmian. Porównaj potem obie kolumny i podejmij decyzję, co dalej. Ważne, byś wiedział, dlaczego chcesz się zmienić. Przykładowo dla jednej osoby nadwaga oznacza przeszkodę w zdobyciu wymarzonej pracy, dla drugiej – barierę na drodze do związku z kimś interesującym, dla trzeciej – niską samoocenę. Dla czwartej schudnięcie może być sposobem na zdobycie aprobaty matki, dla piątej – pokonaniem bariery, by czuć się dobrze ze sobą.

3. Często jest tak, że zmiana wagi czy sylwetki jest dla ciebie ważna, czyli jesteś chętny do zmiany, ale pesymistycznie oceniasz swoje siły i mówisz: „Chciałbym, ale nie potrafię". W tej sytuacji ważne, by znaleźć taki sposób na zmianę, który twoim zdaniem może przynieść pożądany rezultat i który zastosujesz w codziennym życiu. Możesz wtedy pomyśleć o sytuacjach, w których odniosłeś sukces niezależnie od tego, jakiej sprawy dotyczyły. Przypomnij sobie, jakie przeszkody pokonałeś. Co wtedy dało ci siłę? Pomyśl, jak tamte doświadczenia możesz wykorzystać teraz w procesie zmiany wagi czy sylwetki. Odnosząc sukces, wykorzystujesz swoje atuty. To właśnie twoje mocne strony są wynikiem wielu twoich doświadczeń, wiedzy, jak również dowodem na to, jak wiele już umiesz i ilu ważnych rzeczy się nauczyłeś.

4. Możesz też odnaleźć się w następującej sytuacji: „Wiem, że potrafię, i wiem, że chcę, tyle tylko, że w tej chwili schudnięcie i piękna sylwetka nie są dla mnie najważniejsze". W takiej sytuacji warto odpowiedzieć sobie na pytanie, jak nadwaga może wpłynąć na stan twojego zdrowia. Może istotne jest również wykonanie podstawowych badań krwi i moczu. Choroby cywilizacyjne, takie jak cukrzyca, otyłość i choroby serca, są ściśle związane z nadwagą.

Zapamiętaj

Konstruktywna zmiana zachowania nastąpi wtedy, gdy:

> będziesz wiązał ją z czymś, co ma dla ciebie dużą wartość i jest ważne;

> będziesz skupiał się na swoim celu, a nie na celu wymyślonym przez kogoś innego. Im bardziej jesteś zaangażowany we własne cele, tym większe prawdopodobieństwo osiągnięcia sukcesu;

> twój cel będzie realny, czyli dostosowany do twojego rytmu i stylu życia;

> pozytywnie pomyślisz o sobie i swojej przyszłości;

> poznasz swoje słabości i zaczniesz nad nimi pracować.

Jak sprawić, by realizacja celu stała się jednym z elementów codzienności? Najważniejsze jest świadome trenowanie nowych zachowań przy każdej okazji. Jeśli ćwiczysz je wystarczająco długo – przez minimum trzy tygodnie – stają się one coraz mniej nowe. Dzieje się tak dlatego, że im częściej powtarzasz nowe zachowanie, tym silniejsze staje się odpowiadające mu połączenie w mózgu. Wyrabianie sobie nowych nawyków wzmacnia połączenia międzyneuronalne. Czasami nowy sposób myślenia o sobie, odczuwania i działania wydaje się na początku nienaturalny; przypomina to chodzenie w cudzych butach. Na poziomie neuronalnym zmuszasz wtedy mózg do wykorzystania rzadziej uczęszczanych ścieżek. Czujesz się nieswojo, dziwnie. Sekretem jest trening, systematyczność i dyscyplina.

Dowodem na sprawdzenie, czy opanowałeś nowy sposób działania, jest to, że stale go wykorzystujesz. Przykładowo jesz tylko wtedy, gdy jesteś głodny, każdy kęs dokładnie przeżuwasz, nie jesz przed telewizorem, trzy razy w tygodniu chodzisz na siłownię lub basen i obserwujesz, jak się czujesz. Gdy wyćwiczysz umiejętność samokontroli, czyli panowania nad niekorzystnymi dla ciebie emocjami i impulsami, to to, co kiedyś wymagało wysiłku, stanie się automatyczne. Przestaniesz zauważać, że jesz, siedząc przy stole, a nie w biegu, albo że po kolejnej stresującej rozmowie z szefem nie biegniesz po batonika, bo radzisz sobie ze stresem, wykorzystując oddychanie przeponą. Po godzinie 15 w pracy masz nadal więcej energii niż koledzy, ponieważ zwiększyłeś w swojej diecie ilość warzyw i owoców, a ograniczyłeś spożywanie fast foodów, słodyczy i ilość wypijanej kawy. Po prostu taki sposób zachowania staje ci się bliski i nie wyobrażasz sobie, że mogłoby być inaczej.

Jako zmotywowana osoba[34]:

> znasz osobiste przyczyny podejmowania jakiegoś działania;

> nie robisz czegoś, „bo tak trzeba";

> angażujesz się w to, co robisz;

> troszczysz się o siebie;

> chcesz podejmować konkretne działania, wiesz, po co to robisz, i znajdujesz własne rozwiązania;

> jesteś gotowy podjąć długotrwały wysiłek, jesteś „zwarty i gotowy" do działania;

> wiesz, że na twojej drodze mogą pojawić się trudności – jesteś tego świadomy;

> zrobiłeś analizę sytuacji, znasz swoje słabe strony i chcesz je zmienić;

> wiesz, jakimi regułami i wartościami się kierujesz;

> bierzesz odpowiedzialność za to, co robisz;

> wiesz, że możesz uzyskać wsparcie w trakcie trwania procesu;

> wiesz, że twoje życie jest w twoich rękach.

Jeśli jesteś niezmotywowany[35]:

> robisz coś dlatego, że inni tego oczekują od ciebie, np. chcesz zmienić wagę, bo poprosiła cię o to żona; idziesz na siłownię, bo koledzy tam chodzą; jesz za dużą porcję ciasta, bo nie wypada odmówić;

> nie masz własnych powodów, żeby coś zmienić;

> masz nadzieję, że ktoś inny zajmie się twoimi sprawami;

> chcesz wziąć udział w procesie budowania wewnętrznego diet coacha i jednocześnie nie bierzesz odpowiedzialności za siebie, za to, co robisz, a gdy coś ci nie wyjdzie, szukasz winnych;

> nie jesteś całkowicie zaangażowany, a co najwyżej podekscytowany nowym procesem;

> oczekujesz wspaniałych rezultatów;

> nie podejmujesz żadnych działań, dopóki nie będziesz pewny, że osiągniesz sukces;

> rezygnujesz, jeśli stwierdzisz, że coś jest dla ciebie zbyt trudne.

Ważne, by wykorzystać własne powody i osobistą skuteczność podczas dokonywania zmian. Najważniejszą sprawą jest działanie. Zacznij coś robić. Jeśli podejmiesz próbę, może okazać się, że obudzą się w tobie nieznane ci do tej pory pokłady motywacji.

Wskazówka

W swoim programie motywacyjnym, w trakcie budowania wewnętrznego diet coacha, uwzględnij poniższe wskazówki.

1. Wykonaj podstawowe badania krwi i moczu, by sprawdzić stan swojego zdrowia.

2. Przeprowadź analizę składu ciała i określ:

    > aktualną masę ciała;

    > wskaźnik masy ciała BMI;

    > procentową zawartość tkanki tłuszczowej;

    > procentową zawartość tkanki tłuszczowej trzewiowej;

    > procentową zawartość mięśni szkieletowych;

    > dzienne zapotrzebowanie kaloryczne.

3. Jeżeli chcesz schudnąć, utrzymuj zwiększoną aktywność fizyczną i ograniczniż spożywanie kalorii. Stworzenie deficytu kalorycznego – dostarczenie ciału mniej o 500–1000 kcal dziennie – po tygodniu może doprowadzić do zmniejszenia wagi o 0,5–1 kg. Jeżeli spalisz w siłowni, na parkiecie lub w basenie ok. 300 kcal więcej niż do tej pory i zjesz 200 kcal mniej, czyli świadomie zrezygnujesz z batonika, to już masz mniej o 500 kcal/dzień.

4. Jeśli jesz mało warzyw, zwiększ ich ilość, najlepiej tak, by zajmowały połowę talerza. Warzywa możesz jeść bez ograniczeń, wypełniają brzuch, sprawiają, że nie jesteś głodny, a do tego są źródłem witamin, minerałów, antyoksydantów i błonnika.

5. Jeżeli zaniedbujesz jedzenie posiłków o regularnych porach w ciągu dnia, zacznij przynajmniej jeden posiłek jeść o ustalonej przez siebie godzinie.

6. Jeśli objadasz się wieczorem, zmniejsz porcje, jedz wtedy więcej warzyw lub owoców, wyłącz telewizor, poćwicz, oddaj się medytacji.

7. Jeśli jesz w pośpiechu, zwolnij. Zacznij przeżuwać każdy kęs 20–30 razy (możesz zacząć od 5–10 razy), wtedy będziesz zjadać mniej niż dotychczas. Wolne jedzenie to świadome jedzenie. Jako dziecko właśnie tak jadłeś. Zadbaj o to, by przywrócić tę umiejętność w swoim dorosłym życiu.

8. Jeśli wybierasz tłuste jedzenie, zmniejsz ilość spożywanych tłuszczy na rzecz ich jakości.

9. Wyrzuć z jadłospisu tzw. śmieciowe jedzenie. Zadbaj o siebie, jedząc żywność wysokiej jakości. Każdy dba o to, by kupować – zgodnie ze swoimi możliwościami – najlepsze ubrania i kosmetyki, najlepszy sprzęt muzyczny itp. W związku z tym pomyśl, czy troszczysz się o swoje ciało, tak by funkcjonowało w zdrowiu przez długie lata. Czy w twoim jadłospisie są fast foody, batoniki, chipsy, wysoko przetworzona żywność?

10. Podejmij świadomą decyzję o niekupowaniu niezdrowych przysmaków, którymi się zajadasz, i zamień je na surową marchewkę, jabłko lub seler naciowy.

Możliwości podjęcia odpowiednich dla ciebie działań jest wiele – wybierz takie, które ci w tej chwili najbardziej odpowiadają, i systematycznie włączaj je do swojego planu dnia.

Konsekwencja i cierpliwość to szczególnie istotne cechy w procesie zmiany. Zacznij od stosowania jednego motywatora, potem stopniowo możesz wprowadzać następne. Krok po kroku, chwila po chwili idź naprzód. Poszukaj też wsparcia wśród najbliższych.

Na podstawie badań stwierdzono, że silna motywacja do osiągania sukcesów u dorosłych wiąże się z faktem, że jako dzieci byli zmuszani do dawania sobie rady samodzielnie, gdy chcieli coś zrobić, czegoś dokonać.

Gdy wiesz, czego chcesz, wiesz również:

> że będziesz musiał dokonać pewnego wysiłku, by przezwyciężyć przeszkody;

> jaką będziesz miał satysfakcję po osiągnięciu celu.

W takiej sytuacji możesz określić swoją postawę w następujący sposób: „Gdy na swojej drodze napotykam przeszkody, jestem gotów stawić im czoło". Dzięki temu zrealizujesz zamiar zgodnie z określonym celem.

Ludzie różnią się pod względem umiejętności tworzenia i realizowania planów, tak jak różnią się zdolnościami do rozwiązywania problemów intelektualnych lub wykonywania czynności wymagających zręczności. Plany mogą mieć różny zakres. Oprócz planów realizujących pewne cele są też plany powstrzymujące, w których chodzi o uniknięcie niebezpieczeństwa lub zmęczenia, jak np. decyzja o nieczytaniu wieczorem, by lepiej się wysypiać; o piciu tylko jednej kawy dziennie przed południem, by móc zasnąć wieczorem bez problemów; o zwiększeniu ilości warzyw w posiłkach, tak by mieć więcej energii w ciągu dnia. Im lepiej potrafimy realizować plany, tym bardziej rozwijamy umiejętność panowania nad sobą, poczucie sprawczości i wewnętrznej spójności.

Jak bezradność zmienić w działanie? Proces budowania wewnętrznego diet coacha wiąże się z utratą wagi, zmianą wyglądu lub zmianą stylu życia. Jest to szczególna zmiana, którą być może przechodziłeś już kilka razy w swoim życiu, niestety rezultaty cię nie zadowalają. Może czujesz bezradność, jesteś zły i po prostu nie wiesz, co dalej masz ze sobą zrobić. Jeśli tak właśnie się czujesz, proponuję ci poniższe ćwiczenie.

Ćwiczenie

1. Skup się teraz na tych swoich doświadczeniach, które dały ci szczególną satysfakcję. Przypomnij sobie działania – niekoniecznie związane z odżywianiem – które:

    > doprowadziły do istotnych zmian w twoim życiu,

    > wymagały podjęcia szczególnych wysiłków,

    > wymagały dużej dyscypliny i wytrwałości,

    > były działaniami, w których podstawą była konsekwencja,

    > były dla ciebie trudne, a mimo to postanowiłeś je podjąć itd.

2. Gdy przypomnisz sobie takie sytuacje i pracę, jaką wykonałeś, zastanów się nad tym, co spowodowało, że ci się chciało, że miałeś siłę, by działać. Nazwij to, co wtedy było dla ciebie ważne.

3. Potem uświadom sobie wszystkie wątpliwości związane z podjęciem obecnie takich pełnych pasji i konsekwencji działań.

4. Następnie spisz wszystkie przychodzące ci do głowy pomysły, które mogłyby okazać się pomocne w zmotywowaniu cię do działania zgodnego z tym, co chcesz osiągnąć. Możesz np.:

    > pomyśleć o ludziach, których podziwiasz, którzy są twoimi mistrzami lub autorytetami (nieistotne, czy ich znasz osobiście, czy nie). Pomyśl o pasji, która motywuje ich do działania;

    > przypomnieć sobie niektóre swoje marzenia z dzieciństwa, z młodości, które zrealizowałeś;

> wyobrazić sobie siebie takim, jakim chciałbyś być po zakończeniu procesu budowania wewnętrznego diet coacha;

> zapytać przyjaciół, rodzinę, najbliższych o to, jak oni odbierają twój wygląd, zachowania związane z jedzeniem, twoją dbałość o siebie itp.;

> wyobrazić sobie siebie na swoim pogrzebie. Słyszysz wszystko, co ludzie mówią o tobie, twoim stylu życia, wyglądzie, sposobie jedzenia. Co słyszysz, a co chciałbyś usłyszeć?

5. Wszystkie uzyskane odpowiedzi zapisz, gdyż mogą być dla ciebie ważną wskazówką w procesie budowania wewnętrznego diet coacha. Mogą stać się twoimi motywatorami. Istotą tego ćwiczenia jest szczerość względem siebie samego; to, co zapiszesz, ma być prawdziwe, a nie tylko dobrze brzmieć i wyglądać na papierze[36].

Ćwiczenie

Kolejne ćwiczenie związane z motywacją polega na napisaniu dwóch opowiadań. Ważne, byś napisał je jedno po drugim.

Pierwsze ma być odpowiedzią na pytanie: „Jak wyobrażam sobie swoją przyszłość za dwa lata, gdy jeszcze zwiększę wagę, nadal będę odżywiał się nieświadomie lub w ogóle nie będę ćwiczył itp.?". Drugie: „Jak wyobrażam sobie moją przyszłość za dwa lata, gdy zmienię wagę, zacznę się świadomie odżywiać lub będę ćwiczył regularnie itp.?".

Oba opowiadania mają być bardzo dokładne i realistyczne. Możesz napisać o tym:

> Jak będzie wyglądał twój typowy dzień? Co będziesz mógł robić, a czego nie? Jaki będzie tego powód?

> Jakie będzie twoje życie zawodowe? Jak będzie rozwijać się twoja kariera, twoje hobby, twoje ambicje?

> Jak będzie wyglądało twoje życie rodzinne: dzieci, rodzice, mąż/żona, rodzeństwo?

> Jakie relacje będziesz miał: z rodziną, z przyjaciółmi, z najbliższymi, z kolegami z pracy, z przełożonymi itd.?

> Jak się będziesz rozwijał (nauka, szkolenia, kursy, warsztaty)?

> Jak będziesz spędzał wolny czas: jak będziesz odpoczywał, relaksował się, w jaki sposób będziesz ćwiczyć „bycie uważnym"?
> Jaka będzie twoja aktywność fizyczna?
> Jakie będzie twoje zdrowie i samopoczucie? Jakie będziesz miał wyniki badań?
> Czy będziesz należał do grona osób z cukrzycą, otyłością, chorobami serca, rakiem?
> Czy będziesz prowadził grupy wsparcia w swojej firmie, w lokalnej społeczności (w szkole, przedszkolu, domu kultury, bibliotece) dla tych, którzy chcą odżywiać się zdrowo?
> Czy zainteresujesz się ekologicznym stylem życia i ekologią w swojej społeczności?
> Co ty sam będziesz myślał na swój temat? Co o tobie (twoim zdaniem) będą myśleć ważni dla ciebie ludzie?[37]

Gdy wykonasz to ćwiczenie, zrób porównanie obu wersji. Zauważ, co motywuje cię do działania zgodnego z programem kształtowania wewnętrznego diet coacha, a co sprzyja czynnościom związanym z dotychczasowymi nawykami. Jakie to są nawyki? Które z nich mogą dotyczyć zmiany wagi, a które związane są ze stresem, z niespełnionymi potrzebami? Jeśli zauważysz swoje motywatory, które działają w innych aspektach życia, może postanowisz doświadczyć ich wpływu w procesie budowania wewnętrznego diet coacha?

Przekonania[38]

Przekonania to silnie utrwalone opinie, teorie, sądy, interpretacje, założenia, uogólnienia, w których słuszność mocno wierzysz. Są to dla ciebie prawdy oczywiste, absolutne. Po wielokrotnym doświadczeniu pewnych zdarzeń nabywasz pewności, że jest właśnie tak, jak to odbierasz. Przekonania mogą być wspierające lub ograniczające w odniesieniu do celów i zamierzeń. Są niezależne od logiki i wyrażamy je w zdaniach twierdzących.

Źródłami przekonań są: doświadczenia twoje i cudze; przekazy ważnych dla ciebie ludzi, autorytetów, mistrzów; prawdy ludowe; media.

Przekonania są potrzebne np. w przypadku zamykania i otwierania drzwi: gdyby nie było generalizacji, że najpierw trzeba nacisnąć klamkę, a potem popchnąć drzwi i wejść do środka, to za każdym razem byłoby niezbędne uczenie się od nowa całej procedury otwierania.

Niektóre przekonania mogą utrudniać ci życie – są jak samospełniające się przepowiednie. Jeżeli jesteśmy o czymś przekonani, zachowujemy się i działamy zgodnie z tym przekonaniem. Przekonania niezbędne do osiągnięcia celu to: wiara w rezultat i własną skuteczność, np. „Jestem przekonany, że cel jest możliwy do osiągnięcia, a ja mam wszystko, co jest do tego potrzebne". W procesie budowania wewnętrznego diet coacha oznacza to, że wierzysz, iż masz wszelkie zasoby, by świadomie odżywiać się dla zdrowia, a to, co zjadasz, dostarcza ci energii. Gdy nie wierzysz, że możesz osiągnąć cel i dojść do tego, do czego dochodzą inni, pojawia się uczucie bezradności, a nawet rozpaczy.

Zapamiętaj

Przekonania mogą dotyczyć przyczyny, znaczenia i tożsamości.

1. Przekonania dotyczące **przyczyny**.

Swoje ograniczające przekonania tego typu możesz zidentyfikować, odpowiadając na pytania:

> Co jest przyczyną, że tyję?

> Co sprawia, że jem, pomimo że nie jestem głodny?

Mógłbyś na te pytania odpowiedzieć: „Jem, pomimo że jestem syty, ponieważ w mojej rodzinie należy zjeść wszystko z talerza" lub: „Nie mogę odmówić jedzenia podczas wizyty u babci, ponieważ zrobię jej przykrość". Słowo „ponieważ" (wyrażone bezpośrednio lub domyślne) sygnalizuje ten typ przekonań. Przekonanie dotyczące przyczyny jest zbudowane w następujący sposób:

> jeżeli jesteś przekonany, że Y spowoduje jakiś pozytywny skutek, to będziesz tak postępował, by Y się zrealizowało;

> jeśli natomiast jesteś przekonany, że Y spowoduje negatywny skutek – postarasz się do Y nie dopuścić.

2. Przekonania dotyczące **znaczenia**.

Swoje ograniczające przekonania tego typu możesz zidentyfikować, odpowiadając na pytania:

> Co to znaczy, że jestem gruby?

> Czy jeśli mam nadwagę, to znaczy, że jestem odbierany jako sympatyczny?

81

> Czy znaczy to, że potrzebuję zmienić swój styl odżywiania?
> Czy znaczy to, że jestem słaby?
> Czy to, że jestem gruby, oznacza, że nie mam silnej woli?
> Co znaczy określona sytuacja? Jakie ma dla mnie znaczenie? Co jest ważne? Co jest konieczne?

Rezultatem przekonań dotyczących znaczenia są zachowania zgodne z tymi przekonaniami. Jeśli wierzysz, że twoja otyłość związana jest z potrzebą zmiany sposobu odżywiania, to zapewne zaczniesz działać w tym kierunku. Jeśli wierzysz, że znaczy to, iż jesteś słaby, możesz nie podjąć żadnych działań.

3. Przekonania dotyczące **tożsamości**.

Swoje ograniczające przekonania tego typu możesz zidentyfikować, odpowiadając na pytania:

> Co sprawia, że JA podejmuję działania?
> Co oznacza moje zachowanie?
> Jakie są moje granice i osobiste ograniczenia, np.: „Jestem nudny"; „Jestem zbyt uległy";„Nie zasługuję na sukces";„Jeśli schudnę, to stracę status miłej osoby, bo chudzi są złośliwi"?

Przekonania dotyczące tożsamości mogą powstrzymywać przed zmianą, szczególnie wtedy, gdy nie jesteśmy ich świadomi[39].

Pracując nad budowaniem swojego wewnętrznego diet coacha, warto pamiętać, że gdy nastąpi impas (kiedy powiesz sobie: „Nie wiem", „To nie ma związku", „To, co robię, nie ma sensu"), jesteś blisko nazwania ograniczającego przekonania.

Ćwiczenie

W procesie budowania wewnętrznego diet coacha istotne jest spojrzenie na swoje życie z lotu ptaka i rozpoczęcie wędrówki w głąb „góry lodowej". Mogą ci w tym pomóc poniższe pytania:

> Jeżeli jesteś zdrowy w tym momencie, to jak będzie wyglądać twoje dalsze życie?
> Gdybyś był szczupły, to jaki byś był?
> Co byś robił w przyszłości, ważąc 50/60/70 kg, czego nie robisz teraz?

> Jeśli wyobrazisz sobie, że osiągniesz swój cel, to co będziesz mógł robić inaczej niż dotąd w pracy, w kontaktach z ludźmi, w czasie wolnym? Co konkretnie będziesz wtedy robił?
> Kim chcesz być w przyszłości, gdy będziesz ważył 50/60/70 kg?

Pracę z przekonaniami możesz rozpocząć sam, zwracając uwagę na to, co mówisz, na słowa, których używasz. Możesz też przyjść na warsztaty diet coachingu lub na indywidualne sesje. Zacznij od zaobserwowania, czy mówisz, co możesz, a czego nie możesz zrobić; co powinieneś, a czego nie powinieneś; co masz robić, a czego nie.

Przekonanie możesz rozpoznać, gdy używasz zdań, w których występuje konstrukcja: „Jeśli…, to…" (przyczyna i skutek), np.: „Jeśli nie zjem wszystkiego z talerza, to ukochana babcia się pogniewa". Rezultat jest taki, że zjadasz wszystko, mimo iż w połowie jedzenia byłeś syty. Z jednej strony powoduje to przyrost wagi, bo jesz za dużo, a z drugiej strony działasz przeciwko sobie.

Przekonania można rozpoznać, gdy bez rezultatów starasz się zmieniać problemowe sytuacje, używając różnych metod. Zastanów się wtedy: „Co oznacza fakt, że nie jestem w stanie tego zmienić?". Możesz otrzymać w odpowiedzi przekonanie dotyczące tożsamości. Wtedy użyteczne będą kolejne pytania: „Co chcę zamiast tego?" i „Co mnie powstrzymuje przed uzyskaniem tego?".

Jak tworzą się przekonania? Do naszego umysłu z zewnątrz docierają różne bodźce, sytuacje, a umysł wie, że ma z nich zbudować film. Buduje go więc klatka po klatce i dostajemy film pt.: „Jutro upadnę, ludzie są źli, świat jest pełen agresji, mam pecha, jutro będzie nowy dzień, szklanka jest do połowy pełna lub szklanka jest do połowy pusta" itd. Gdy uformuje się nasz system przekonań, nie doświadczamy nowych rzeczy, ale utożsamiamy je z tym, co wiemy. Większość zaobserwowanych przez nas zdarzeń zostaje przydzielona do odpowiedniego rodzaju „doświadczeń". Dlatego przeważającą liczbą naszych działań kierują różnego rodzaju „automatyzmy". Przykładowo bardzo prawdopodobne jest, że osoba mająca przykre doświadczenie z jedzeniem ostrych potraw lub piciem wytrawnego wina będzie unikać spożywania tych potraw, gdy zostaną jej zaproponowane. Jeśli zostaje ci podana znana potrawa, zjadasz pierwszy kęs, by sprawdzić, czy potrawa jest zgodna z twoimi wcześniejszymi wrażeniami smakowymi, potem wyłączasz świadomość i przenosisz ją na coś innego.

Jak zmienić przekonania, jeśli wiesz, że cię ograniczają? Swoją drogę w tym kierunku zaczynasz poprzez cofnięcie się do momentu, w którym wszystko się zaczęło. Wtedy może się okazać, że ważne dla ciebie sprawy wydadzą się prostsze i bardziej wyraziste. Przypomnij sobie sytuację, w której ważyłeś „normalnie", i sytuację, w której zacząłeś ważyć zbyt dużo. Naturalnym etapem zmiany przekonań są wątpliwości. Zadaniem twojego wewnętrznego diet coacha będzie więc wzbudzenie wątpliwości, a następnie podjęcie decyzji, co z tym przekonaniem zrobić. Jeśli mówisz, że jesteś do niczego, to twój ciąg myślenia związany z tym przekonaniem może być następujący: „Nie potrafię wstać rano i pobiegać, nie lubię się przemęczać, mam prawo do odpoczynku, a i tak to bieganie nic mi nie da, tylko ludzie będą się gapić, w szkole też wszyscy się na mnie gapili, a w ogóle to zawsze wstydziłem się swojego ciała…".

Jeżeli odkryłeś, że wstydzisz się swojego ciała i w rezultacie nie chodzisz ćwiczyć do klubu fitness lub nie prowadzisz żadnej aktywności fizycznej, możesz rozpocząć proces zmierzający do zaakceptowania swojego ciała:

1. Możesz zadać sobie pytanie o to, jak „tu i teraz" postrzegają cię znajomi i przyjaciele. Czy rzeczywiście gapią się na ciebie, czy być może wymieniacie spojrzenia, a oni nawet nie zauważyli, w co jesteś dziś ubrany? Może w świetnie skrojonym garniturze czy garsonce po prostu dobrze wyglądasz? Może bardziej dostrzegają twoje zadbane dłonie czy ciekawy kolor szminki niż całą resztę? Spytaj i nie podważaj ich opinii. Uwierz, że to, co usłyszysz, to tylko ich zdanie na twój temat.
2. A może, gdy sam staniesz przed lustrem i przyjrzysz się sobie „tu i teraz", zobaczysz zupełnie nowy obraz? Czy bierzesz tę możliwość pod uwagę?
3. Wybierz się na basen lub pobiegaj tylko po to, by poczuć, jak się czujesz po wykonaniu postawionego przed sobą zadania. Czy masz więcej energii? Czy jesteś bardziej elastyczny?
4. Poczuj siebie, swoje ciało, zrezygnuj na jakiś czas z dawnych ocen. Zmień oceny na odczucia, na to, w jaki sposób przemówi do ciebie twoje ciało. Daj sobie szansę na to, by poczuć i usłyszeć siebie. Tylko tyle, ale przez co najmniej 3 tygodnie.

W procesie zmiany często zdarzają się chwile, w których tracisz zapał – np. gdy zbliża się pora pójścia na siłownię lub basen, nagle pojawiają się inne ciekawe zajęcia, a plan wyjścia gdzieś znika. Wcześniej pisałam, że stosowanie diety jest często nieskuteczne przez dłuższy okres, ponieważ dana osoba mogła nie do końca zmienić wzorce zachowań. Wiemy, że podczas odchudzania najpierw traci się masę mięśniową, a później tłuszcz. W odwrotnej sytuacji, a więc ponownego zwiększania wagi, tłuszcz pojawia się szybciej niż masa mięśniowa.

Jeżeli waga raz maleje, raz rośnie, to ciało dąży do homeostazy, równowagi masy mięśniowej i tkanki tłuszczowej. Wiele osób zrzuca w ciągu życia setki kilogramów i po pewnym czasie waży nawet więcej. Uzyskanie i utrzymanie właściwej dla danej osoby wagi staje się realne poprzez uporządkowanie i zintegrowanie zachowań, wartości, nawyków, przekonań.

Wskazówka

Bariery na drodze do zmiany pokonasz wtedy, gdy:

> Dokładnie przeanalizujesz swoją obecną sytuację i ustalisz cel.

Na przykładzie osiągnięć sportowców widać, jak to, co nierzeczywiste, staje się realne. Ważne jest, by nie zamykać sobie drzwi, mówiąc: „To niemożliwe". Można powiedzieć: „Jeszcze tego nie osiągnąłem".

> Uświadomisz sobie, jakie masz atuty – zasoby potrzebne do dotarcia z punktu startu do mety.

Każde działanie oparte na wierze w to, co się robi, a więc na wierze w siebie, sprzyja osiąganiu rezultatów. Tylko przez działanie poznajemy siebie. Działanie daje nam wgląd w system przekonań i w poczucie własnej wartości.

> Dasz sobie szanse i pozwolisz na zmianę. Innymi słowy masz prawo:

1. mieć potrzeby i je realizować;
2. mieć swoje cele i do nich dążyć;
3. mieć swoje przekonania i je zmieniać bądź się ich trzymać;
4. odkrywać siebie;
5. żyć zdrowo, a tym samym zmieniać swoje nawyki żywieniowe itd.;
6. zmienić swoją wagę i sylwetkę;
7. wyruszyć w drogę i żyć swoim życiem;
8. nagradzać siebie za każde przynoszące zmianę działanie;
9. eksperymentować w kuchni i czerpać z tego przyjemności;
10. poznawać smaki swojego życia;
11. uśmiechać się.

Trudności w podejmowaniu decyzji[40]

Między postanowieniem a rzeczywistym działaniem istnieje przepaść. Dla każdego „tak" istnieje też „nie". Wybór jednej rzeczy oznacza wyrzeczenie się czegoś innego. Podejmując decyzję, rezygnujemy z pewnych możliwości, które mogą już nigdy więcej się nie pojawić. Można też powiedzieć, że decyzje prowadzą do ograniczenia możliwości.

W starożytności Arystoteles opisał temat decyzji w metaforze o głodnym psie. Pies nie potrafił wybrać między dwiema tak samo atrakcyjnymi porcjami jedzenia. Zdechłby z głodu, gdyby nie zaufał pragnieniu i nie chwycił tego, co znajdowało się w zasięgu jego pyska. Decyzja jest działaniem samotnym, tylko twoim, nikt za ciebie nie zadecyduje. Wielu ludzi stresuje się podejmowaniem decyzji i zmusza lub namawia do tego innych.

W trakcie całego życia podejmujesz wiele decyzji opartych na swoich subiektywnych ocenach. Jedne z nich są banalne – decydujesz o rodzaju kaszy na obiad lub kolorze bluzki, drugie mają ogromne znaczenie – wybierasz męża/żonę, decydujesz o rozstaniu lub przeprowadzce do innego miasta. Ja zaliczam do tych bardzo ważnych decyzji postanowienie poznania siebie, zmiany swoich nawyków i stylu życia na taki, który będzie w zgodzie z tobą, twoimi potrzebami i celami.

Zdolność do podejmowania właściwych decyzji ma ogromny wpływ na jakość twojego życia. Sukcesy nie są dziełem chwili, ale przemyślanego procesu opartego na wiedzy i zaangażowaniu w osiągnięcie celu, tego, co popchnie cię w życiu do przodu, zmieni i da nowe możliwości rozwoju.

W procesie budowania wewnętrznego diet coacha precyzujesz swój zakres działań i stajesz przed koniecznością wyboru. Ten etap to twój start. Następny etap to zastanowienie się nad wariantami, jakie wchodzą w grę. Kolejny to wybór odpowiednich technik i narzędzi. Ostatni etap to ewaluacja wybranych wariantów i ocena. Całość procesu kończy się na mecie, gdzie widoczny jest wynik decyzji. Tutaj też uświadamiasz sobie to, co się zdarzyło, i możesz podjąć działania modyfikujące.

Z podejmowaniem decyzji związana jest różnorodność sytuacji, które starasz się zrozumieć. Masz swoje wyobrażenia o tym, co zrobić, by sprawy szły do przodu, a z drugiej strony o tym, co naprawdę robisz. Podjęcie decyzji uspokaja pewne emocje, może przynieść ulgę i spokój, ale również niepokój i strach. Zmiana wywołuje lęk, ale jednocześnie daje nadzieję i dzięki temu sprzyja rozpoczęciu pracy nad sobą.

Warto pamiętać, że w procesie budowania wewnętrznego diet coacha zmiana zachowania jest możliwa po zmianie samooceny. Działając tak, by mieć o sobie dobre mniemanie, podtrzymujesz swoją samoocenę. W ten sposób stwarzasz nawyki korzystniejsze dla zdrowia. W trakcie zmiany często towarzyszyć ci może uczucie przykrego napięcia spowodowane informacją, która jest sprzeczna z twoim wyobrażeniem o sobie, np. jako o osobie rozsądnej, wykształconej i myślącej. Największe prawdopodobieństwo wystąpienia takiego przykrego napięcia jest wtedy, gdy twoje działania lub myśli odbiegają od twojej samooceny.

Jak możesz redukować przykre napięcie? Przykład sytuacji:

1. Jesteś umiarkowanie szczęśliwą osobą z dobrą samooceną. Lekarz stwierdza, że twoja waga i jej wzrost są dla twojego zdrowia niepożądane.

2. Objadając się słodyczami, robisz coś, co jest sprzeczne z twoim obrazem samego siebie. Głupio jest angażować się w działanie, które może doprowadzić do utraty zdrowia w twoim wieku.

3. Doświadczasz nieprzyjemnego stanu napięcia, który chcesz zmniejszyć szybko i skutecznie.

4. Zastanawiasz się, co zrobić.

Po pierwsze, mógłbyś zmienić swoje zachowanie i przestać jeść ciastka, a tym samym zmienić nawyki żywieniowe i znacznie zmniejszyć ilość cukru, tłuszczu i soli, a w bliskiej przyszłości wagę.

Po drugie, mógłbyś pomyśleć np., że wcale nie jesz dużo ciastek, a zawsze ważyłeś dużo, bo masz takie geny. W twojej rodzinie jest kilka otyłych osób – żyją i mają się dobrze.

Po trzecie, mógłbyś dodać kolejną współbrzmiącą myśl, czyli: „Jem ciastka tylko wtedy, kiedy jestem w stresie. To mnie uspokaja, lepiej się czuję".

Efektem zastosowania jednego z tych trzech sposobów jest to, że twój konflikt wewnętrzny stał się mniejszy. Znowu jesteś umiarkowanie szczęśliwą osobą.

Wielu ludzi próbuje zmienić swoje nawyki żywieniowe, ale im się to nie udaje. Wtedy poszukują jakiegoś usprawiedliwienia dla swojego zachowania. Podobne uzasadnienia podają osoby, które próbowały rzucić palenie lub które wiedzą o swoim złym stanie zdrowia. Przedstawione przykłady nie są wymyślone – są oparte na rzeczywistych przypadkach ludzi, którzy próbowali pozbyć się nadwagi, ale nie zdołali.

Biorąc pod uwagę wiedzę dotyczącą podejmowania decyzji, można stwierdzić, że gdy podejmujesz ważną dla siebie decyzję, doświadczasz uczucia niepewności, swoistego konfliktu wewnętrznego. Jeśli masz już tę wiedzę, dalsze twoje działanie, czyli sposób na zmniejszenie napięcia lub rozwiązanie konfliktu wewnętrznego, zależy od twojej decyzji.

Zapamiętaj

Decyzja jest wyborem jednej z wielu możliwości i odpowiedzią na pytanie: „O co mi tak naprawdę chodzi?". Zmianę wprowadza się nie po to, by czegoś uniknąć, ale po to, żeby coś osiągnąć.

Jeżeli masz problem z podjęciem decyzji, odpowiedz sobie na poniższe pytania:

1. Co to znaczy, że mam kłopot z podjęciem decyzji?
2. Co w zewnętrznym świecie spowodowało, że uświadomiłem sobie konieczność podjęcia decyzji?
3. Jakie są moje główne motywy podjęcia decyzji?
4. Co się zmieni w moim świecie, gdy podejmę decyzję?

Ważne jest też, byś dokładnie wykonał poniższe zadania:

> Opisz swój świat jak najszerzej w przypadku podjęcia konkretnej decyzji.
> Wyobraź sobie różne zależności związane z podejmowaną decyzją.
> Wyobraź sobie bardzo dokładnie dzień, gdy zrobisz to, na czym ci zależy.

Poczucie własnej wartości

Poczucie własnej wartości już masz i nigdzie nie musisz go szukać. Jest wewnątrz ciebie, pomaga ci żyć. Nie można go kupić. Ważne, by je rozwijać. W procesie rozwoju poczucia własnej wartości dobrze jest szukać wsparcia u bliskich ludzi. Jeżeli w swoim otoczeniu masz osoby, które cenią twoje zdolności, samemu będzie ci łatwiej je zauważyć i poznać. Tworzysz bowiem swój obraz na podstawie spostrzeżeń ludzi, których darzysz zaufaniem, szacunkiem, którzy są dla ciebie ważni.

W procesie zwiększania poczucia własnej wartości dużo możesz zrobić sam i to poprzez takie działania jak: wypisanie swoich umiejętności, afirmację i pozytywne myślenie, dobór odpowiednich słów, gdy mówisz o sobie i swoich sukcesach, chwalenie siebie itp.

Nadmierne poczucie własnej wartości prowadzi do egocentryzmu. Najwięksi egocentrycy to ludzie, którzy traktują siebie jak pępek świata i nie uwzględniają punktu widzenia innych ludzi. Nie mają pozytywnej i twórczej koncepcji samych siebie.

Wspaniałą cechą osób o wysokim poczuciu własnej wartości jest poczucie związku z innymi ludźmi. Praca nad zwiększaniem poczucia własnej wartości wymaga cierpliwości. Proces pojawienia się istotnych i trwałych zmian może trwać od dwóch miesięcy do pół roku. Zmiana poczucia własnej wartości następuje poprzez takie twoje działania, które powodują, że rośnie twoje poczucie bezpieczeństwa, a w rezultacie po pewnym czasie mija uczucie niepewności. Wtedy jesteś bardziej pewny siebie i zaczynasz dostrzegać nowe możliwości.

Każdy ma swój podstawowy poziom własnej wartości, który u jednych może być wysoki, a u innych niski. Jeżeli masz wysokie poczucie własnej wartości, to w sytuacji gdy następuje jego spadek, zmiany są zauważalne, ale znacząco nie wpływają na ciebie, na twoje poczucie bezpieczeństwa ani na możliwości. Gdy twoje poczucie własnej wartości jest niskie, zmiany mają o wiele większy wpływ na ciebie, mocniej je odczuwasz. Spadek poczucia własnej wartości może wtedy utrzymywać się przez dłuższy czas[41]. Dlatego w procesie budowania wewnętrznego diet coacha, gdy często znajdujesz się w nowych sytuacjach, twoje poczucie własnej wartości ulega zmianom. Ważne, byś właśnie przez konsekwentne działania pozbywał się uczucia niepewności. Z czasem pojawi się poczucie sprawczości, bezpieczeństwa i możliwości wyboru. Wtedy zauważysz, jak twoje pokłady poczucia własnej wartości rosną. Dostrzeżesz również, że kiedy czujesz „spadek", spadasz tylko trochę, ból jest mniejszy i potrafisz sobie z nim dobrze poradzić.

Odpowiedzialność[42]

W procesie budowania wewnętrznego diet coacha istotną wartością jest odpowiedzialność. Ma szczególne znaczenie w aspekcie podejmowania decyzji.

Odpowiedzialność zakłada uczciwość, solidność i sumienność prawną, finansową oraz moralną. Słowa „odpowiedzialny" używamy w stosunku do osób, którym możemy zaufać, na których możemy polegać. Jean-Paul Sartre określił bycie odpowiedzialnym jako bycie „niekwestionowanym sprawcą jakiegoś wydarzenia lub przedmiotu"[43]. Cytując Irvina D. Yaloma, można powiedzieć, że „odpowiedzialność oznacza autorstwo. Jeżeli mówimy, że jesteśmy świadomi odpowiedzialności, to oznacza, że jesteśmy świadomi tworzenia siebie, swojego losu, różnych sytuacji życiowych, uczuć i przekonań"[44].

Jeśli podczas procesu zmiany koncentrujesz się na tym, co dzieje się każdego dnia, i świadomie podejmujesz pracę nad zmianą swoich zachowań, to jednocześnie bierzesz odpowiedzialność za to, co robisz, jak się zachowujesz. Wtedy również rozwijasz samokontrolę, dyscyplinę i entuzjazm.

Fritz Perls tak mówił o odpowiedzialności: „Dopóki walczysz z objawem, będzie ci się pogarszać. Jeżeli weźmiesz odpowiedzialność za to, co sam robisz, za to, jak wytwarzasz własne objawy, jak wytwarzasz swoją chorobę, jak tworzysz swoje istnienie – dokładnie w tym momencie, w którym wchodzisz w kontakt z samym sobą – zaczyna się rozwój, zaczyna się integracja"[45]. Perls posługiwał się ćwiczeniem „Biorę odpowiedzialność", które polega na tym, że po każdym zdaniu mówisz „i biorę za to odpowiedzialność"[46]. Przykładowo: „Nie chcę aktywnie ćwiczyć i biorę za to odpowiedzialność" lub: „Planuję dziś wieczorem najeść się ciastkami i biorę za to odpowiedzialność" albo: „Po pracy kupię sobie paczkę chipsów na wieczorny seans przed telewizorem i biorę za to odpowiedzialność" itd.

Świadomość odpowiedzialności sama w sobie nie równa się zmianie, jest pierwszym ważnym krokiem w procesie zmiany. Żebyś mógł się zmienić, musisz przyjąć, że jesteś odpowiedzialny, a następnie zaangażować się w działanie.

Jeśli przyjrzymy się budowie słowa „odpowiedzialność", zauważymy, że jego znaczenie możemy interpretować jako „działanie w odpowiedzi". Jest takie japońskie przysłowie: „Wiedzieć i nie działać to wcale nie wiedzieć". I niestety właśnie to działanie, a ściślej – wyobrażenie na temat tego, co może się wydarzyć, jeśli decyzja będzie zła, wywołuje lęk i obawy. Boisz się, że popełnisz kolejny błąd, a następstwem może być strata przyjaciół, pieniędzy itd. Wielu z nas uważa, że „powinniśmy być doskonali, a więc nigdy nie powinniśmy popełniać błędów". W takich momentach zapominasz, że uczysz się właśnie poprzez działanie. Po analizie sytuacji podejmujesz decyzję o działaniu. Następnie planujesz działanie i jesteś przygotowany do tego, by zacząć działać. Po czym przychodzi czas refleksji, podsumowania tego, co poprzez twoje działanie się wydarzyło.

Podjęcie działania to jedyna droga do wprowadzenia zmian w życiu, pracy, jadłospisie. Podejmowanie kolejnych wyzwań stanowi podstawę rozwoju i uczestniczenia w zmianie, w życiu „tu i teraz". Każde podjęte działanie jest ważne, bo uczy, dając nowe doświadczenia.

Istotnym elementem twojej pracy jest dostrzeżenie w swoich decyzjach nowych możliwości. Wtedy będzie ci łatwiej przyjąć odpowiedzialność za swoje decyzje. Uświadomisz sobie, że cokolwiek się stanie, czyli jakąkolwiek decyzję podejmiesz, dasz sobie radę. Po to właśnie jest przecież droga, by poznać siebie, podjąć działania, które pozwalają w życiu stworzyć to, o czym marzy każdy z nas.

Świętowanie osiągnięć

W trakcie procesu zmiany okazuj sobie uznanie, czyli doceniaj siebie i swoje zasoby, które umożliwiają ci przeprowadzenie ważnych działań, obserwacji. Da ci to poczucie sprawczości i mocy, np.: „Wymagało to ode mnie dużo cierpliwości; podjąłem decyzję, która mi służy; zmieniłem dotychczasowy sposób myślenia o pływaniu" itp.

Jeżeli masz trudność z docenianiem swoich osiągnięć związanych z wprowadzaniem zmian w diecie bądź np. z aktywnością fizyczną, to proponuję, byś przez co najmniej dwa tygodnie codziennie zapisywał przynajmniej trzy swoje osiągnięcia. Mogą to być zarówno te, które uznasz za duże, jak i te, które oceniasz jako niezbyt spektakularne. Przykładowo: „Dziś w pracy zamiast kawy zjadłem dwa jabłka lub cztery marchewki"; „Wracając do domu, wysiadłem dwa przystanki wcześniej i wróciłem na piechotę"; „Czułem się świetnie po treningu"; „Świetnie bawiłem się z…".

Uznanie cię wzmacnia, pokazuje ci, kim możesz być. Jest istotnym elementem na drodze ku zmianie stylu odżywiania; ważne, byś traktował je poważnie, z uwagą.

Nagrody w procesie kształtowania wewnętrznego diet coacha są jak najbardziej pożądane. Pamiętaj, by były niezwiązane z żywnością. Może to być np. masaż, wizyta u fryzjera, SPA, uczestnictwo w ciekawych warsztatach, nowa książka czy ubranie (np. mniejsze o jeden rozmiar spodnie), wyjście do teatru lub kina itp.

Rozdział 6
Uruchamianie wewnętrznego diet coacha

Z tego rozdziału dowiesz się:

> jak „zainstalować" wewnętrznego diet coacha;

> jak właściwie przeżuwać jedzenie;

> jak praktykować uważność każdego dnia;

> jak rozwijać te umiejętności emocjonalne, które są teraz dla ciebie ważne;

> jak zdiagnozować swoją energię i spojrzeć na swoje ciało inaczej;

> co robić, by mieć kontrolę nad jedzeniem.

Etapy „instalowania" wewnętrznego diet coacha

Oto kolejne kroki do budowania i rozwijania wewnętrznego diet coacha:

1. Przygotuj zeszyt, w którym przynajmniej przez pierwszy miesiąc będziesz zapisywał zarówno wszystko to, co jesz, jak i swoje odczucia związane z każdym posiłkiem czy przekąską – zgodnie z zamieszczoną poniżej tabelą. Spisywanie tych informacji ma na celu zdobycie szczegółowej wiedzy na temat tego, ile faktycznie jesz i pijesz. Z praktyki wiem, że wielu moich klientów jest bardzo zaskoczonych ilością pożywienia i codziennych kalorii, bo nie mają do końca świadomości tego, ile i co podjadają pomiędzy głównymi posiłkami.

Czas posiłku	Co jadłem; jaka była wielkość porcji? (normalna, średnia, duża)	Poziom sytości, czyli: najadłem się, nie najadłem się, przejadłem się itp.	Twoje obserwacje: określ nastrój, emocje, odczucia w trakcie jedzenia oraz to, co wtedy robiłeś, np.: oglądanie TV, praca przy komputerze; nuda, złość itp.

Obserwuj swój nastrój, emocje towarzyszące jedzeniu, jak również to, co robiłeś, jedząc. Wiele osób ma z tym duże problemy, niemniej warto, by właśnie tej części pracy nadać szczególne znaczenie. Zanotuj, gdy jesz w skupieniu i jak się wtedy czujesz, ile zjadasz. Jak to jest, gdy jesz sam, a jak, gdy jesz w towarzystwie, np. kolegów w pracy, rodziny, czy w określonym miejscu: w kinie, przed telewizorem itp. Czy jesz z nudów, czy dlatego że jesteś zdenerwowany, zły lub boisz się czegoś?

2. Kolejne zadanie związane z robieniem codziennych notatek to obserwowanie siebie i zdobywanie wiedzy o tym, jak zjadana żywność na ciebie wpływa. Tutaj najważniejsze są wszelkiego rodzaju obserwacje po zjedzeniu pokarmu, a więc odpowiedzi na pytania: „Jak czuję się po zjedzeniu określonych potraw, czy mam wzdęcia, gazy?", „Czy wypróżniam się normalnie i regularnie, czy też mam rozwolnienie lub zatwardzenie?".

3. Każdego dnia obserwuj również swoją aktywność fizyczną. Sprawność fizyczna jest lepszym wskaźnikiem zdrowia niż numer ubrania. Mogą to być formy ruchu, takie jak np.: wszelkie ćwiczenia w klubach fitness, pływanie, ale też szybkie spacery, praca w ogrodzie, taniec, joga. Ważne, byś wykonywał je chętnie, z uwagą obserwując swoje ciało. Zaobserwuj, jak się czujesz, gdy ćwiczysz, i jak się czujesz, gdy tego nie robisz, tłumacząc się sam przed sobą np. brakiem czasu.

4. To, jak wygląda twoja codzienna dieta, zależy od tego, jak zaprojektowałeś swój talerz zdrowia. Możesz skonsultować prawidłowość diety z diet coachem, dietetykiem lub lekarzem.

Bardzo ważną częścią poprawy odżywiania jest postępowanie zgodne z ustalonym przez ciebie planem działania. Wytrwałość w dążeniu do trwałej zmiany jest nierozerwalnie związana z zapisywaniem tego, co wydarzyło się w twoim sposobie odżywiania każdego dnia. Do prowadzenia takich notatek możesz wykorzystać telefon, komputer czy wspomniany już zwykły zeszyt. Możliwości masz wiele. Ważne, byś je maksymalnie dopasował do siebie. Krok po kroku, zmierzając do swojego celu, zobaczysz, że droga, którą idziesz, staje się coraz ciekawsza, a wszystko, co robisz, wydaje się coraz ważniejsze.

Zapamiętaj

Istotne działania regulujące ilość spożywanego jedzenia to:

1. rozpoczynanie jedzenia wtedy, gdy jesteś głodny;

2. spożywanie posiłków o stałych porach, np. 7.00, 10.00, 13.00, 16.00, 19.00, 21.00, przy czym główne posiłki są jedzone o 7.00, 13.00, 19.00, natomiast pozostałe to przekąski;

3. świadome przeżuwanie;

4. wyeliminowanie z diety alkoholu;

5. jedzenie zgodne z zaplanowanym wcześniej talerzem zdrowia;

6. picie wody w zależności od potrzeb;

7. prowadzenie aktywnego trybu życia – ćwiczenia fizyczne;

8. pełne entuzjazmu rozwijanie samoświadomości, samokontroli i systematyczności poprzez ćwiczenie uwagi.

Tak jak pisałam na początku poradnika, podstawą odżywiania dla zdrowia jest samoświadomość. Dążenie do samopoznania poprzez własne, wewnętrzne doświadczenie pozwala na zwrócenie uwagi na osobiste potrzeby. Proces budowy wewnętrznego diet coacha daje ci możliwość odkrywania swoich potrzeb, a nie zakładania z góry, jakie one są lub być powinny.

Właśnie w tym procesie masz możliwość uruchomienia własnej aktywności dotyczącej zmian, jakie chcesz wprowadzić w życiu, by odżywiać się dla zdrowia. Jeżeli przyjmiesz odpowiedzialność za swój rozwój, to idąc do mety, wiele się nauczysz. To ty bowiem, realizując określony cel, decydujesz i wybierasz, jak również wyciągasz wnioski ze swojego działania i zaangażowania w cały proces.

Proces budowania wewnętrznego diet coacha rozwija również twoją umiejętność obserwowania siebie. Jeżeli nauczysz się obserwować siebie, tj. swoje zachowania i emocje oraz informacje płynące z ciała, to zbudujesz fundament odpowiedzialności za wszystko, co robisz w życiu. Bez tego fundamentu nie nastąpi żadna trwała zmiana. Nie nauczysz się być odpowiedzialnym za swoje zdrowie, jeśli nie rozumiesz siebie i nie potrafisz siebie obserwować.

Świadome odżywianie, innymi słowy rozwój wewnętrznego diet coacha, da ci możliwość zaobserwowania własnych emocji, myśli, które przez wiele lat, a może całe dotychczasowe życie były automatyczne i nieświadome, np. włączałeś telewizor podczas kolacji po powrocie z pracy, kupowałeś nagrodę za cały dzień w postaci ciastek, zjadałeś śniadanie na stojąco, bo nie było czasu. Odpowiedz sobie teraz na pytanie: „Co kieruje moim działaniem? Czy są to nawyki, przyzwyczajenia, czy emocje, a może rozum?".

Wiedza dotycząca żywności i żywienia oraz obserwacja siebie to wielkie bogactwo. Twój zasób wiadomości jest poparty doświadczeniem, ty po prostu wiesz, co zrobić, by przestać: rzucać się na jedzenie po wyjściu z pracy, nagradzać się jedzeniem słodyczy lub myszkować w kuchni po kolacji. Im więcej wiesz o odżywianiu dla zdrowia i o sobie, tym możliwości zrealizowania celu są większe. Rozwijając swojego wewnętrznego diet coacha, dbasz o siebie, nie tylko mówiąc, jak być powinno, lecz także systematycznie, konsekwentnie i z zaangażowaniem wykorzystując tę wiedzę w praktyce krok po kroku, chwila po chwili.

Ucząc się poprzez działanie, masz możliwość wypróbowania tego, czego się nauczyłeś. Możesz wykorzystać swoją wiedzę dotyczącą zdrowia i siebie samego poprzez podejmowanie rzeczywistych wyzwań związanych z określonym wcześniej celem. Jeżeli podstawą jest osiągnięcie przez ciebie nowych umiejętności związanych ze zdrowym stylem życia, to obserwacja tego procesu staje się twoim podstawowym zadaniem.

Twoja mapa zdrowego życia

Możesz zawsze wybierać. W sprawie zdrowia masz dwie drogi, które przedstawia poniższa mapka:

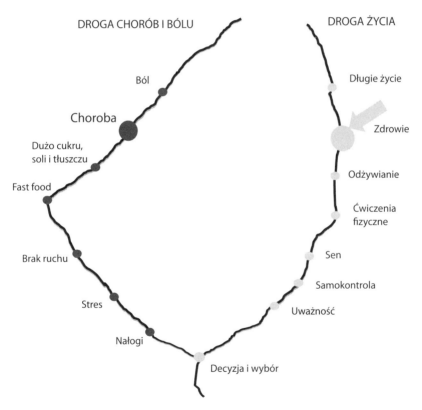

Rys. 3. Twoje życie w twoich rękach (na podstawie: Harvard Medical School – *Tools for promoting healthy change*; http://www.harvardlifestylemedicine.org/file/doc/tfc/ILM_TFC_062411_Info.pdf – stan na 15 lutego 2012 r.).

Zawsze masz możliwość wyboru drogi, którą pójdziesz. Idąc drogą życia, rozwijając swoją samokontrolę, codzienną uważność, dbając o zdrowy sen, aktywność fizyczną i odżywianie dla zdrowia, zapewniasz sobie długie życie, za które bierzesz całą odpowiedzialność. To ty decydujesz, postanawiasz, wybierasz. Idąc drogą pełną nałogów i stresu, jedząc żywność, w której jest zbyt dużo cukru, tłuszczu i soli, zaniedbujesz swoje ciało i wybierasz życie pełne chorób i bólu. Jeśli wybierasz drogę zdrowia, to w budowaniu wewnętrznego diet coacha kolejnym ważnym elementem jest przeżuwanie.

Przeżuwanie = przeżywanie[47]

Jako dziecko zapewne słyszałeś opowiadania rodziców lub rodzeństwa dotyczące czasu trwania twoich posiłków. Miałeś dużo szczęścia, jeśli ten czas był zgodny z twoimi potrzebami. Zwykle jest tak, że rodzice poganiają swoje pociechy, by jadły szybko. O smakowaniu śniadania w takich sytuacjach nie ma co marzyć. Słyszałeś wtedy na pewno takie uwagi: „Jedz szybciej, bo mamusia spóźni się do pracy". Wielokrotnie powtarzane sytuacje stają się nawykiem. Zaczynasz jeść coraz szybciej, twoi rodzice są z ciebie coraz bardziej zadowoleni, czasami nawet wpadasz do domu po kanapkę, zabierasz ją i idziesz spotkać się z kolegami. Często w weekendy całą rodziną wybieracie się na zakupy do centrów handlowych i tam idziecie na „smakołyki": hot dogi, pizzę, skrzydełka i inne „pyszności" światowych kuchni w restauracjach szybkiej obsługi.

Przy wspólnym stole spotykacie się od święta, a o wspólnym gotowaniu i smakowaniu jedzenia, odkrywaniu nowych połączeń smakowych nie ma mowy. W ogóle nie wiesz, jak smakuje sałata, bób, soczewica czy gotowana fasola. Prowadzisz życie, w którym słowo „szybciej" odgrywa ważną rolę. Zanim się obejrzałeś, skończyłeś szkołę, rozpocząłeś pracę i tu nagle, podczas kolejnych badań, zauważasz, że z sercem coś nie tak, że poziom cholesterolu przekroczył górną granicę lub poziom cukru nagle wzrósł albo nadmiar kilogramów nie pozwala ci się poruszać z łatwością taką jak dawniej, no i stawy też zaczynają dokuczać. Pojawia się też problem z garderobą. Piękne garnitury, spodnie, garsonki, sukienki kupowane na różne okazje nagle okazują się za małe. Wiszą nieużyteczne w szafie, a ty możesz tylko na nie patrzeć i marzyć, jak by to było super, gdyby pasowały jak kiedyś. W takiej sytuacji możesz powiedzieć sobie: stop. Masz przecież możliwość wyboru.

Jeżeli wybrałeś drogę zdrowia, to warto powrócić do nawyków, które kiedyś bardzo ci służyły. Zacznij od tego, by poobserwować małe dzieci w trakcie jedzenia. Zauważ, jak długo trzymają pokarm w ustach przed połknięciem. Długie przeżuwanie sprawia im dużą przyjemność.

Niektórzy moi klienci, gdy dowiedzieli się, że przeżuwanie bardzo pomoże im w odżywianiu dla zdrowia, byli zaciekawieni, co to oznacza w praktyce. Gdy dowiedzieli się, że dobrze jest przeżuwać każdy kęs minimum 15–30 razy przed połknięciem, odczuwali przed podjęciem próby pewnego rodzaju obrzydzenie, rezerwę. Mówili też, że to niewykonalne, że już na samą myśl zbiera im się na wymioty. Wtedy prosiłam ich, by przeprowadzili doświadczenie polegające na liczeniu przeżuć jednego kęsa przed połknięciem. Dla wielu z nich wyniki, czyli odczucia związane z przeżuwaniem, spokojnym jedzeniem w skupieniu, były zupełnie nowym doświadczeniem. Zaczęli w ten sposób jeść i byli dumni z siebie, że podjęli to wyzwanie.

Obecnie połykanie posiłków w biegu i na stojąco to wręcz plaga. Bardzo często codzienny jadłospis stanowi żywność wysoko przetworzona, pozbawiona wartości odżywczych, której nie trzeba przeżuwać, bo sama rozpływa się w ustach. Nawet w okresie wiosenno-letnim, gdy i w naszym obszarze klimatycznym mamy dostęp do wielu warzyw i owoców, łykasz pastylki zawierające błonnik i nie musisz przeżuwać jedzenia. Najczęściej żutą substancją jest guma do żucia. Chińskie przysłowie mówi: „Twój żołądek nie ma zębów".

Ciekawostka

Alex Jack i Gale Jack w książce *Przeżuwanie ułatwia życie*[48] cytują fragment *Szklanej menażerii* Tennessee Williamsa, w którym Amanda zwraca się do Toma, podkreślając wagę przeżuwania: „Kochanie, nie popychaj palcami. Jeśli chcesz sobie pomóc, najlepsza do tego jest skórka od chleba. A wtedy żuj! Żuj! Zwierzęta mają tak zbudowany żołądek, że umożliwia on im trawienie bez przeżuwania, ale istoty ludzkie powinny przeżuwać swój pokarm przed połknięciem. Jedz posiłek spokojnie, synu, i czerp z tego prawdziwą przyjemność. Dobrze ugotowane jedzenie ma wiele delikatnych smaków, które powinieneś poczuć w ustach, aby je w pełni docenić. Przeżuwaj więc swój posiłek i daj swoim gruczołom ślinowym szansę, aby mogły funkcjonować".

Cóż, nic dodać, nic ująć. Przeżuwanie zarówno w domu, jak i w pracy wcale nie musi być przykrym obowiązkiem i warto dbać o to, by było przyjemne i zabawne. Oprócz tego, że przeżuwanie jest proste, bezpieczne i nic nie kosztuje, poprawia stan zdrowia.

Przeżuwanie ma bardzo bogatą historię. Jest nieomal tak stare jak ludzkość. Mieszkańcy Dalekiego Wschodu oryginalną sake lub wino ze sfermentowanego ryżu przygotowywali tak, że do wspólnego naczynia spluwali przeżuty ryż, proso, kasztany i żołędzie, a następnie dodawali ugotowane ziarna, mieszali i pozostawiali do fermentacji. Do celów leczniczych używano pożywienia z pełnych ziaren, które najpierw przeżuwano, a dopiero po tym podawano osobom starszym, chorym czy umierającym.

W początkach XIX w. panował zwyczaj 32-krotnego przeżuwania każdego kęsa, w myśl zasady: jeden raz na każdy ząb.

W obecnych czasach ziarno pełne zostało zastąpione przez rafinowane (oczyszczone, wysoko przetworzone), wprowadzono wiele suplementów witaminowych, wzrosła produkcja słodzików i nieporównywalnie szybkie stało się tempo życia. Rozwój technologiczny wywarł ogromny wpływ na zmiany w odżywianiu. Jemy coraz więcej żywności wysoko przetworzonej, co wiąże się z ograniczeniem przeżuwania.

Dla sprawdzenia różnicy pomiędzy przeżuwaniem żywności wysoko przetworzonej i naturalnej zrób taki test: ugryź kęs białej bułki i przeżuj go 25 razy. Następnie ugryź kęs chleba z pełnej mąki na zakwasie i również przeżuj go 25 razy. Przeżuwając, zwracaj uwagę na pojawiające się odczucia smakowe i zapachowe. Jako diet coach uważam przeżuwanie za fundamentalną umiejętność każdego człowieka, ponieważ gwarantuje zdrowe i pełne wigoru życie. Mam nadzieję, że dzięki tobie stanie się modne i zyska wielu zwolenników.

Jak przeżuwanie wpływa na zdrowie?

1. Stanowi ochronę przed głodem i chorobami, jest nieodzowne w prawidłowym procesie trawienia.
2. Wpływa na odczucia smakowe w trakcie jedzenia, np. jedząc gotowane ziarna, można wyczuć ich słodycz, również wyczuwalny jest słodki smak kiełków w trakcie żucia.

3. Reguluje apetyt, wpływa na rozwój świadomości smaku, zapachu, barwy i konsystencji spożywanych potraw.
4. Łagodzi emocje, uspokaja umysł.
5. Wzmacnia intuicję i przyczynia się do lepszej komunikacji z innymi.

Przeżuwanie jest sprawą bardzo indywidualną, zależy od otoczenia, warunków klimatycznych, tradycji rodzinnych, wieku, płci, potrzeb osobistych i stanu zdrowia. Tak jak nie istnieje dieta dobra dla każdego, tak i sposób przeżuwania jest specyficzny dla każdego człowieka.

Wskazówka

Nauka przeżuwania

Rozpocznij naukę przeżuwania w następujący sposób:

> po włożeniu kęsa jedzenia do ust odłóż sztućce;

> obracaj kęs w ustach tak długo, jak to możliwe;

> jeśli są z tobą przy stole inne osoby, prowadź normalną rozmowę między kolejnymi kęsami;

> jeżeli jesz sam lub w obecności osób świadomych przeżuwania, zachowaj ciszę podczas posiłku i skoncentruj się na spokojnych myślach i wyobrażeniach;

> możesz liczyć w trakcie przeżuwania. Zacznij od 10 ruchów żuchwą dla jednego kęsa, potem zwiększ do 15, następnie do 20 itd. Fasolę, warzywa, owoce, nasiona i orzechy przeżuwasz zazwyczaj krócej niż ziarna zbóż. Nie istnieje maksymalna i minimalna liczba przeżuć;

> gdy połkniesz kęs po przeżuciu, znowu sięgnij po sztućce i weź kolejny;

> napoje dokładnie rozprowadź w jamie ustnej i dopiero potem połknij. Wymieszane ze śliną i enzymami są łatwiej trawione[49].

Standardowo każdy kęs powinien być przeżuwany 25–50 razy.

Przeżuwanie powoduje wydzielanie śliny i enzymów niezbędnych do prawidłowego procesu trawienia. Głównym enzymem jest amylaza, która alkalizuje pokarm. Jest szczególnie pomocna przy trawieniu węglowodanów złożonych, a w szczególności pełnego ziarna.

Wskazówka

Aby zwiększyć świadomość jedzenia, możesz:

> zacząć jeść ręką, która nie jest dominująca (jeżeli jesteś praworęczny, jedz lewą ręką i na odwrót);

> przeżuwać każdy kęs 15–30 razy;

> jeść bez oglądania telewizji, używania komputera czy czytania gazety;

> siedzieć podczas posiłku;

> nakładać odpowiedniej wielkości porcję na talerz;

> zaplanować na posiłek przynajmniej 20 minut.

Badania przeprowadzone w Harvard Medical School wykazały, że jeżeli jesz, oglądając TV, czytając czy pracując, to proces trawienia jest ok. 30–40% mniej efektywny niż w przypadku, gdy jesteś skupiony i skoncentrowany na sobie i tym, co masz na talerzu. Jeżeli warzywa i chleb podczas przeżuwania zostaną dobrze wymieszane ze śliną, to ich wykorzystanie przez organizm w trakcie trawienia będzie bardziej efektywne. Przeżuwanie działa korzystnie na wszystkie organy, układy i funkcje organizmu.

Zapamiętaj

Im więcej żujesz, tym mniej jedzenia potrzebujesz.

Dzięki prawidłowemu przeżuwaniu ilość jedzenia, która jest ci potrzebna, zmniejszy się przeciętnie o 10–20%, a w niektórych przypadkach nawet o 30%.

Ćwiczenie

Jak jeść uważnie?[50]

Zrób teraz sam lub z bliską ci osobą „ćwiczenie świadomego jedzenia". Jeżeli możesz, nagraj sobie na dyktafon poniższy tekst lub poproś przyjaciela, by go powoli czytał. Ważne jest robienie przerw między poszczególnymi punktami. W ćwiczeniu tym kluczowe jest bycie ze sobą, dlatego nie spiesz się. Wykonaj to ćwiczenie w swoim tempie, tak jakbyś szedł rozważnie do przodu nieznaną, piękną drogą.

Przygotuj sobie jedną rodzynkę, winogrono, cząstkę mandarynki lub kawałek jabłka i postępuj według poniższych punktów.

Jedzenie jednego winogrona

1. Wzięcie winogrona do ręki
   > Weź do ręki jedno winogrono, połóż je na dłoni lub potrzymaj w palcach.
   > Patrz na nie uważnie. Wyobraź sobie, że nigdy wcześniej go w swoim życiu nie widziałeś i nie trzymałeś w ręku.

2. Patrzenie
   > Przyjrzyj się, jak wygląda winogrono, nie spiesz się, masz czas.
   > Przypatruj się winogronu z każdej strony, zwróć uwagę, jak światło odbija się w skórce i jak zmienia się jego barwa. Zauważ, jakie niepowtarzalne cechy ma właśnie to winogrono, które trzymasz na dłoni. Zbadaj, czy jego kształt jest symetryczny czy nie. Czy skórka na całej powierzchni jest jednakowej grubości?

3. Dotykanie
   > Teraz dotknij winogrono palcami, poczuj jego fakturę. Może potrafisz określić uczucia pojawiające się, gdy robisz to z zamkniętymi oczami?

4. Wąchanie
   > Przybliż teraz winogrono do nosa i powąchaj. Określ, jakie aromaty czujesz. Zwróć uwagę na to, co dzieje się w tym momencie w twoich ustach i żołądku.

5. Włożenie do ust
   > Następnie powoli unieś winogrono do ust, zauważ, jak dobrze twoja ręka zna drogę, wie, jaki ruch wykonać. NIE GRYŹ go jeszcze, obserwuj siebie. Jakie doznania pojawiły się, gdy umieściłeś winogrono w ustach? Poznaj teraz winogrono przy użyciu języka. Zwróć uwagę na rolę języka w procesie przeżuwania.

6. Smakowanie
   > Kolejny etap to przygotowanie się do pogryzienia winogrona. Zwróć uwagę, gdzie musi znajdować się winogrono i w jakim musi być położeniu, byś mógł je zgryźć zębami. Następnie bardzo świadomie ugryź je raz lub dwa, cały czas zwracając uwagę na swoje doznania. Będziesz odczuwał, jak napływają różnego rodzaju smaki. Dalej przeżuwaj swoje winogrono bez pośpiechu. Nie połykaj jeszcze, ale zwróć uwagę, jak zmienia się struktura, konsystencja i smak winogrona.

7. Przełykanie

> Zwróć uwagę na to, czy pojawiła się chęć przełknięcia winogrona. Jeżeli tak, zrób to, jeśli nie, przeżuwaj dalej, aż poczujesz, że chcesz je przełknąć. Bądź świadomy momentu, w którym nie czujesz resztek winogrona w ustach.

8. Koniec

> Po przełknięciu zauważ, jak to, co zostało z winogrona, przesuwa się do żołądka.

> Powiedz, jak się czujesz po wykonaniu tego ćwiczenia.

> Jaki był i czy się zmieniał smak winogrona w trakcie całego procesu? Czy pokarm całkowicie się rozpuścił? Co zadecydowało o tym, że połknąłeś winogrono?

Jeśli masz czas, wykonaj to ćwiczenie z drugim winogronem. Tym razem masz dwie możliwości. Możesz porównywać jedzenie drugiego winogrona z pierwszym lub tylko doświadczyć jedzenia drugiego winogrona bez porównań. Najważniejsze, by być skupionym na „tu i teraz", na swoich odczuciach w trakcie jedzenia. Istotne jest to, by każdy kęs jedzenia uważnie pogryźć i dopiero sięgać po następny, znowu uważnie pogryźć i wtedy sięgnąć po kolejny, i tak do chwili, w której poczujesz sytość.

Zrób to ćwiczenie z przyjaciółmi, gdy zaprosisz ich na smakowitą nową potrawę. Poproś ich, by zjedli choć jeden czy dwa kęsy w powyższy sposób, a potem podzielcie się wrażeniami i odczuciami dotyczącymi smaku, zapachu potrawy, a może bardziej osobistymi odczuciami związanymi z reakcjami ciała.

Jest to również ćwiczenie świadomości. Świadome jedzenie jest podstawą odżywiania dla zdrowia. Trwała zmiana stylu życia jest możliwa, jeżeli poznasz siebie. Trud związany z obserwacją siebie, swojego ciała, emocji, oddechu jest potrzebny, by żyć długie lata w zdrowiu fizycznym i psychicznym.

Ćwiczenie z winogronem, cząstką mandarynki czy rodzynką pokazało mi i wielu moim klientom (mam nadzieję, że tobie również), jak potężną siłą są zmysły, a w szczególności zmysł smaku. Wrażenia z jedzenia winogrona są tak mocne dlatego, że angażujesz w nie całego siebie. Jesteś skupiony i świadomie uważny. Odczuwasz rezultat swoich działań bez osądzania. Nie oceniasz, czy to było dobre czy złe. Skupiasz się na tym, co właśnie robisz i obserwujesz. Jesteś otwarty na to, co się dzieje. Twoje czynności nie są automatyczne. Po prostu TY MASZ ŚWIADOMOŚĆ, że JESZ. W trakcie ćwiczenia możesz inaczej niż dotychczas odczuwać zapach, smak, wygląd winogrona. Wszystkie doznania związane z uważnym jedzeniem mogą być o wiele bogatsze w porównaniu z szybkim jedzeniem kiści winogron, całej mandarynki czy wsypywaniem sobie do ust kilkunastu rodzynek naraz.

Uważne jedzenie przyczynia się do sposobu, w jaki jesz, wpływa na twój styl życia, na twoje zdrowie, wagę, wygląd. To, czy jesz uważnie czy byle jak, świadomie czy automatycznie, wpływa na całe twoje życie.

Świadoma uwaga – być „tu i teraz"[51]

Uważność według Jona Kabata-Zinna, profesora medycyny i jednego z twórców metody *mindfulness*, to nie jest coś, co się robi, to bycie w kontakcie ze sobą i ze światem. Doświadczając rzeczy poprzez ciało i zmysły, a nie poprzez nawykowe, niesprawdzone myśli, masz lepszy kontakt z życiem. To szczególny rodzaj świadomej uwagi, którą kierujemy się w danej chwili, czyli teraz, bez osądzania, a która prowadzi do akceptowania tego, co jest. Jest to fenomenalny sposób przechodzenia od stanu działania do bycia: najpierw przyswajamy sobie informacje zdobyte dzięki własnemu doświadczeniu, a dopiero potem działamy. W wyniku takiego postępowania wiesz, co robisz. Przenosząc te rozważania na zdrowe odżywiane – MASZ ŚWIADOMOŚĆ TEGO, CO JESZ.

Badania dowodzą, że to najlepszy sposób na stres, zmęczenie, złe samopoczucie, a zatem i na zachowanie dobrego zdrowia. Świadoma uwaga jest potężną siłą i wszyscy nią dysponujemy. Stosując ją w codziennym życiu, jesteś wolny nie przez ucieczkę, ale poprzez akceptowanie życia z chwili na chwilę.

Zwracanie uwagi na rzeczywistość bieżącej chwili według Kabata-Zinna oznacza zwracanie jej szczególnie na te aspekty życia, które uważaliśmy za oczywiste albo ignorowaliśmy. Przykładowo możesz skupiać uwagę na smakowaniu każdego kęsa, przeżuwaniu go i na doznaniach, które takie świadome jedzenie wywołuje w twoim ciele. Uważność oznacza również dostrzeżenie, jaki jest stan faktyczny rzeczy w danym momencie, a nie jaki chciałbyś, by był.

Uważność:

> jest **intencjonalna** – gdy dbasz o to, by być uważnym, jesteś bardziej świadomy swoich wyborów. Zauważasz z pełną świadomością, jak twoje sprawy wyglądają „tu i teraz". Zaczynasz zdawać sobie sprawę z faktu, że wszystkie myśli przemijają w umyśle, są twoim wyobrażeniem na dany temat, nie są więc rzeczywistością;

> jest **empiryczna** i skupia się na doświadczaniu bieżącej chwili, rzeczy przez ciało i zmysły „tu i teraz", a nie poprzez nawykowe myśli i przekonania;

> **nie polega na osądzaniu** – pozwala widzieć rzeczy takimi, jakie są w danym momencie. Z faktu osądzania (dobre czy złe jedzenie, powinienem czy też nie powinienem zjeść aż tyle, dobrze czy niedobrze się zachowałem, odmawiając dokładki), wynika, że masz do spełnienia określoną normę. Nawyk surowego osądzania siebie, swojego wyglądu, zachowań związanych z jedzeniem działa pod płaszczykiem pomagania tobie, abyś lepiej żył, był zdrowy, lepiej wyglądał, był wspaniały, aby w końcu zawładnąć tobą tak, że działasz bez żadnej reflesji, często powielając bądź naśladując innych ludzi. Twórca Apple'a Steve Jobs powiedział: „Twój czas jest ograniczony. Nie zmarnuj go, żyjąc życiem kogoś innego".

W doświadczaniu rzeczy bezpośrednio bycie uważnym jest głównym elementem, bez którego niemożliwe jest bycie w chwili teraźniejszej. Jeżeli za przykład weźmiesz jedzenie, to gdy trzymasz kanapkę w ręku i zjadasz ją tak, by jak najszybciej mieć to za sobą i móc zająć się następnym elementem projektu, lub jesz i prowadzisz ekscytującą rozmowę z kolegą albo oglądasz film akcji – twój umysł cały czas jest zajęty czymś innym niż jedzenie.

Potem nagle uświadamiasz sobie, że już nie ma kanapek na talerzu i trzymasz w ręku tylko puste naczynie. Nie pamiętasz, jak to się stało i kiedy zjadłeś swój posiłek. Właśnie taki moment to wskazówka, że przegapiłeś po raz kolejny jedzenie kanapek i związane z nimi doznania zmysłowe, takie jak zapach i smak poszczególnych składników, strukturę pożywienia wyczuwalną przez język, ilość jedzenia niezbędną, by zaspokoić głód, ilość razy, jaką przeżuwałeś każdy kęs, i wrażenia z tym związane, moment, kiedy zdecydowałeś się połknąć jedzenie, i to, czy i jak odczuwałeś jego drogę przez gardło, krtań, przełyk do żołądka.

Możesz zadać sobie pytanie, co jadłeś, czy był to kolejny punkt projektu czy wydarzenia opowiadany przez kolegę lub też jakaś część filmu. Tak właśnie, chwila po chwili życie przecieka ci przez palce, a ty nie doświadczasz go w pełni. Wyobrażasz sobie, że będziesz szczęśliwy, jeśli stracisz parę kilogramów, nie zwracając wcale uwagi na to, co robisz „tu i teraz" ze swoim życiem, ze sobą, swoim ciałem. W konsekwencji możesz w ten sposób przegapić kolejne chwile dnia codziennego, tak jak przegapiłeś chwile jedzenia kanapek. Możesz też przegapić większość swojego życia.

Zapamiętaj

To właśnie zadania, które możesz sobie stawiać do wykonania każdego dnia, związane ze świadomym jedzeniem, są wielkim krokiem naprzód w procesie kształtowania wewnętrznego diet coacha.

Świadome odżywianie dla zdrowia jest bowiem głównym założeniem procesu diet coachingu. Antonio de Mello powiedział, że „świadomość to doświadczenie codziennej chwili. MASZ JĄ, ALBO NIE. Ilu ludzi spędza życie, żywiąc się nie strawą, ale samym menu? Menu jest tylko wskaźnikiem czegoś, co można dostać. Chcemy zjeść stek, a nie słowa"[52].

Wprowadź uważność do jednej rutynowej czynności dziennie. Może to być jedzenie kolacji czy obiadu, jak również zmywanie lub mycie się. Ważne, by stopniowo skupiać się na wykonywaniu poszczególnych postawionych sobie zadań ze świadomą uważnością. Wynikiem uważności jest zmiana doświadczenia wyłącznie przez zmianę jakości uwagi, którą mu poświęcamy. To zupełnie tak, jak powiedział jeden z mędrców: „Jeśli nic nie przeszkadza oku, widzisz; jeśli nic nie przeszkadza uchu, słyszysz; jeśli nic nie przeszkadza nosowi, czujesz; jeśli nic nie przeszkadza umysłowi, myślisz"[53].

Jak pogłębić zdolność bycia uważnym?

Profesor Daniel Wegner i jego koledzy wykazali, że gdy staramy się stłumić jakąś myśl, wówczas to, czemu się opieramy, uparcie trwa – nie możemy powstrzymać umysłu.

Wykonaj takie doświadczenie: przez jedną minutę myśl, o czym chcesz, byle nie o białym niedźwiedziu. Po minucie większość ludzi stwierdza, że nie może przestać myśleć o białym niedźwiedziu. Podobnie jest z negatywnymi myślami czy wspomnieniami – wiesz z doświadczenia, jak trudno jest ci się na nich nie koncentrować, mimo że bardzo tego pragniesz i robisz wszystko, by zmienić bieg swoich myśli.

Tradycyjną metaforą zdolności umysłu do uspokajania i wyciszania jest szklanka mętnej wody. Jeżeli będziesz mieszać wodę, to pozostanie mętna, jeżeli przestaniesz, to osad opadnie na dno, a woda stanie się przejrzysta.

Praktycznie od zawsze skutecznym uspokajaczem umysłu jest oddech. Skupienie na oddechu jest możliwe tylko „tu i teraz". Utrzymanie takiej koncentracji nie jest łatwe, bo pojawiają się różne myśli. Jednak to właśnie bycie „tu i teraz" oraz oddalanie się do „tam i wtedy" i znowu powracanie do „tu i teraz" to sedno praktyki uważności. Takie znikanie i powracanie uczy nas rozpoznawania, kiedy jesteśmy i pozostajemy w trybie bycia, a kiedy wpadliśmy w tryb działania.

Zapamiętaj

10 zasad praktykowania uważności każdego dnia[54]:

1. Każdego dnia po obudzeniu zwróć uwagę na swoje oddychanie. Zamiast myśleć, co się wydarzyło wczoraj lub co się wydarzy dzisiaj, co masz zrobić za chwilę, przed wyjściem z domu, weź kilka uważnych oddechów. Oddychaj brzuchem. Przez 2–3 minuty skup się na oddychaniu i poczuj jego efekt w swoim ciele.

2. Zamiast praktykowania ciągłego codziennego pośpiechu ZWOLNIJ. Rozejrzyj się dookoła i ciesz się czymś wyjątkowym o poranku. Może to być kwitnący kwiat w twoim pokoju, śpiew ptaków za oknem, promienie słońca, wiatr poruszający liście na trawniku. Wybór masz ogromny. Ja – gdy moja córka była mała – cieszyłam się jej uśmiechem, którym witała mnie każdego dnia rano.

3. W czasie drogi do pracy czy szkoły zwróć uwagę na to, jak idziesz, jak prowadzisz samochód lub jak się zachowuje twoje ciało, gdy jedziesz komunikacją miejską. Weź wtedy kilka głębokich oddechów, które cię zrelaksują.

4. Kiedy stoisz na czerwonym świetle jako pieszy, kierowca lub pasażer, zwróć uwagę na oddech. Oddychaj i ciesz się bieżącą chwilą.

5. Kiedy już przybędziesz do pracy lub szkoły, daj sobie chwilę na kilka świadomych i spokojnych oddechów, zrelaksuj ciało i dopiero wtedy zaczynaj pracę.

6. Kiedy siedzisz za biurkiem lub przy komputerze, uważaj na wszelkie oznaki fizycznego napięcia – warto zrobić przerwę na kilka ćwiczeń lub odejść od biurka.

7. Potraktuj powtarzające się czynności jako sygnały do minirelaksu. Tymi bodźcami może być dzwonek telefonu, pukanie do drzwi, chodzenie po korytarzu. Wtedy możesz zrobić kilka świadomych oddechów.

8. Ćwicz uważnie chodzenie w drodze do samochodu, autobusu, tramwaju czy metra. Czy widzisz coś nowego dookoła? Czy odczuwasz zadowolenie, wdzięczność w stosunku do matki natury za to, co widzisz dookoła? Czy możesz czuć się szczęśliwy, radosny, idąc tak bez pośpiechu?

9. Gdy wrócisz z pracy, świadomie „przestaw się" na bycie w domu. Jeśli to możliwe, to po powitaniu z rodziną lub współlokatorami daj sobie kilka minut potrzebnych na wyciszenie przeżyć z pracy lub ze szkoły, by przejście do domowego środowiska było łagodne.

10. Kiedy idziesz spać, nie myśl ani o kończącym się dniu, ani o jutrzejszym, ani o tym, co było w przeszłości. Weź kilka wolnych uważnych oddechów.

Ćwiczenie uważności związane jest przede wszystkim z robieniem jednej rzeczy naraz, a więc:

> Jeśli jesz, to jedz, czyli postępuj podobnie jak w ćwiczeniu z winogronem, chociaż przez 5 minut w trakcie każdego posiłku. Bądź wtedy osobą, która ma świadomość tego, co je, czyli wie, jakie zapachy i aromaty czuje, jakie ma odczucia w trakcie smakowania. Zacznij od tych 5 minut, przecież to tak mało, i obserwuj, jakie zmiany zajdą w twoim sposobie jedzenia i myślenia o jedzeniu, o sobie. Zaobserwuj, czy cieszysz się jedzeniem czy też jesz mechanicznie.

> Jeśli ćwiczysz, to ćwicz, a więc poczuj, jakie mięśnie pracują, a jakie nie, czy potrafisz oddychać w trakcie wykonywania ćwiczeń, kiedy czujesz pierwszy pot, a kiedy pojawiają się pierwsze objawy zmęczenia i na czym one polegają. Czuj siebie i swoje ciało.

> Jeśli kroisz warzywa, to krój warzywa, czyli najpierw je umyj, obierz tak, jak zwykle to robisz, tyle że w większym skupieniu. Powąchaj je, spróbuj, jak smakują, poczuj, jakiej siły musisz użyć, by je kroić, jakie dźwięki pojawiają się w trakcie pracy z nożem, co czujesz w trakcie tego działania, jakie myśli się pojawiają. „Obserwuj" je, jak znikają, jeśli nie zajmiesz się nimi na dłużej. Jeśli nie przywiążesz się do swoich myśli, to będą znikać jak bańki mydlane.

> Jeśli spacerujesz ze swoim ukochanym psem, to spaceruj z psem i myśl o tym, by być wyluzowanym, by twój pies również dobrze się czuł na spacerze. To jego potrzeba, a twoja przyjemność. Czy tak jest? Czy spacer daje ci zadowolenie, bo jesteś w kontakcie ze swoim pupilem, czy też idziesz z nim według pewnych reguł, bo tak trzeba, bo tak powinien iść pies?

Jeśli działasz tak automatycznie, poproś o pomoc trenera psów, a wszystko po to, by spacer był spacerem, a nie ciężkim i żmudnym treningiem, troską o to, by, broń Boże, pies cię nie zdominował.

Czynności, które wykonujesz świadomie, może być wiele. Ważne, by rozbudzić w sobie pasję życia, by przeżywać każdą chwilę najuważniej, jak w danym momencie potrafisz. Takie ćwiczenia mają szansę stać się nawykami. Są oznaką miłości do siebie, do swojego życia. Ucząc się uważności, uczysz się też cierpliwości, pokory, empatii.

Odpowiedz teraz na pytania:

> Kiedy ostatni raz dziękowałeś swoim stopom, że już tyle lat ich używasz, a one cię niosą nawet w bardzo niewygodnym obuwiu? Czy dbasz o swoje stopy, masując je, robiąc pedicure?

> Czy w ogóle kiedykolwiek podziękowałeś swojemu sercu, płucom, nerkom, wątrobie, śledzionie, trzustce?

Jeśli odpowiedź brzmi „nie", to masz szansę zrobić to właśnie tu i właśnie teraz. Może lepiej cieszyć się z tego, co masz teraz, niż narzekać na to, czego jeszcze nie masz? Po co czekać, przecież już dziś możesz się uśmiechnąć do siebie, do sąsiada czy kolegi w pracy. Może warto pożegnać się z własnymi wymysłami i fantazjami o tym, jak być powinno, jaki powinieneś być, jak powinieneś wyglądać i ile ważyć? Bardzo rzadko jest w danej chwili tak, jak byś chciał, by było. Zauważ jednak, że to właśnie ta obecna chwila jest najważniejsza, bo ta, która była, minęła, a ta, która będzie, jeszcze nie nadeszła.

Dbałość o ciało w diet coachingu

„To nie jest tak, że masz ciało. Ty nim jesteś".
Penelope Best, terapeutka tańcem

Jako niemowlę byłeś szczególnie ciekawy i wrażliwy na otaczających cię ludzi, rzeczy, świat. Jako bardzo małe dziecko byłeś zwykle ruchliwy, pełen energii, twoje małe ciało było bardzo giętkie i pełne wdzięku. Z wiekiem zmienia się nie tylko giętkość ciała, lecz także twoja ruchliwość i energia. Czy spotkałeś w swoim życiu staruszkę, która skakałaby z radości, tak jak to robią dzieci? Sztywność ciała związana jest również z utrwalonymi w ciągu długiego życia nawykami, napięciem, stresem.

Co możesz zrobić, by twoje ciało nie było sztywne, a ty sam byś czuł się pełen energii? Alexander Lowen, twórca analizy bioenergetycznej, uważał, że jeżeli ciało nie ma zapotrzebowania na dodatkową energię, to pożywienie odłoży się w postaci tłuszczu. Gdy brakuje ci energii, to tłumisz swoje uczucia, a wyrażając je, ożywiasz ciało i umysł, a tym samym zwiększasz ilość energii.

Zdumiewający jest fakt, że skutkiem niskiego poziomu energii, czyli przemęczenia, jest wzrost aktywności, objawiający się dążeniem do coraz to nowszych osiągnięć, awansów, sukcesów. Mimo że poprzez relaks możesz uzyskać dodatkową porcję energii, w takiej sytuacji zrelaksowanie się nie jest możliwe. Wynika to z faktu, że mięśnie do uwolnienia napięcia potrzebują energii. W trakcie pracy mięśnie się kurczą i rozkurczają. Jeżeli mięsień wykonuje pracę – kurczy się – to zużywa energię, a gdy cały czas jest w fazie skurczu, to już więcej pracy po prostu nie może wykonać. Kolejny etap pracy mięśnia polega na rozkurczeniu i będzie to możliwe, jeżeli komórki mięśniowe wytworzą potrzebną energię. Aby tak się stało, potrzebny jest tlen i usunięcie kwasu mlekowego.

Rozładowanie energii

Naładowanie energii

Rys. 4. Etapy pracy mięśni i ich energia[55].

Oddychanie – twoja inspiracja do świadomego odżywiania

Po łacinie „oddychanie" to *spiro, spirale*, jest ono synonimem inspiracji, natchnienia. Według *Wielkiego słownika poprawnej polszczyzny* – „inspirować" to „dawać impuls do czegoś; pobudzać do twórczości; wpływać na coś"[56] – na tym właśnie polega wdychanie tlenu. Gdy oddychasz głęboko i swobodnie, jesteś natchniony, pełen inspiracji.

Oddychanie pomaga utrzymać odpowiedni poziom energii, dostarczony tlen poprawia metabolizm, mięśnie sprawniej pracują. Większość ludzi oddycha jednak płytko i ma tendencję do wstrzymywania oddechu. Jeżeli masz w domu psa lub kota, możesz poobserwować, na czym polega naturalne oddychanie. Płytki oddech i jego wstrzymywanie przyczynia się do chronicznego zmęczenia, a nawet depresji. Takie coraz szybsze tempo życia sprzyja również chorobom cywilizacyjnym.

Tlen jest nam do życia niezbędny. Bez tlenu człowiek może przeżyć kilka minut, bez wody kilka dni, a bez jedzenia ponad miesiąc. Jeżeli usiądziesz wygodnie, odprężysz się i zaczniesz obserwować swój oddech, to zauważysz, że jest on spokojny i wolny. Jeżeli będziesz pod wpływem emocji, stanie się szybki, natomiast w sytuacji, gdy się czegoś boisz – gwałtowny lub będziesz go wstrzymywać.

Zapamiętaj

Głębokie naturalne oddychanie uspokaja ciało. Wpływa również korzystnie na zdrowie i umożliwia skuteczne funkcjonowanie.

Oddychanie naturalne to sposób, w jaki oddycha dziecko lub zwierzę. Angażuje ono całe ciało. W głębokim oddychaniu bierze udział dolna część jamy brzusznej, która przy wdechu podnosi się ku górze, nadyma się jak balon i opada na dół przy wydechu. Rozszerzenie dolnej części jamy brzusznej pozwala płucom łatwiej rozszerzać się ku dołowi.

Przy oddychaniu płytkim porusza się tylko klatka piersiowa i obszar wokół przepony. Ruch przepony w dół jest ograniczony i powoduje, że płuca rozszerzają się na zewnątrz. Taki sposób oddychania wymaga większego wkładu energetycznego niż oddychanie brzuszne. Poniżej znajdziesz ćwiczenia związane z oddechem naturalnym.

W jaki sposób oddychasz? Zwróć na to uwagę szczególnie wtedy, gdy się zdenerwujesz. Gdy mięśnie ramion i brzucha są napięte, nie używasz przepony do oddychania. Wtedy nie wypełniasz do końca płuc i w wyniku braku powietrza oddychasz szybciej i płyciej. Nasila się przy tym uczucie zdenerwowania i niepokoju.

Ćwiczenie oddychania przeponą pomaga rozpoznać nerwowy oddech i szybko przestawić się na rozluźniony sposób wdychania i wydychania powietrza. Ćwiczenie należy wykonywać 5–10 minut dziennie.

Ćwiczenie

1. Połóż się wygodnie i weź pięć normalnych oddechów. Sprawdź, czy przy wdychaniu i wydychaniu unosi się twoja klatka piersiowa, czy raczej brzuch. Możesz to stwierdzić, kładąc jedną dłoń na klatkę piersiową, a drugą na brzuch. Jeżeli twój brzuch unosi się i opada, a klatka piersiowa prawie się nie rusza, to świetnie. Jeżeli jest odwrotnie, spróbuj zmusić brzuch do intensywnej pracy. Wypnij go, kiedy bierzesz wdech, i wciągnij, gdy wydychasz powietrze.

2. Zamknij oczy i wciągnij powietrze, używając do tego brzucha. Wdech ma być głęboki, tak by brzuch wypiął się w górę. Klatka piersiowa ma pozostać nieruchoma.

3. Weź kilka powolnych wdechów i wydechów, po czym otwórz oczy i spójrz na brzuch albo połóż na nim dłoń. Czy teraz podnosi się i opada? Kontynuuj powolne, głębokie wdechy i wydechy.

4. Jeśli ciągle używasz głównie klatki piersiowej, spróbuj lekko przycisnąć brzuch, kiedy wydychasz powietrze. Jeżeli masz z tym problem, połóż się twarzą do podłogi, a ręce wyciągnij wzdłuż ciała. Kiedy wdychasz powietrze, naciskaj brzuchem na podłogę. Pamiętaj, że przekształcenie nerwowego oddechu w spokojny wymaga czasu. Nie spiesz się, obserwuj swoje ciało i swoje reakcje.

5. Kiedy nauczysz się już oddychać przeponą, leżąc na podłodze, spróbuj zrobić to samo, siedząc, a potem stojąc.

6. Jeśli już to potrafisz, ćwicz oddech zawsze wtedy, kiedy będziesz w stresującej sytuacji. Naucz się rozpoznawać nerwowy oddech i natychmiast zacznij oddychać przeponą.

7. Ćwicz takie oddychanie każdego dnia, np. stojąc na światłach, w kolejce w sklepie, siedząc za biurkiem w pracy.

Ćwiczenie

Optymalne oddychanie

Przyjmij pozycję, w której będziesz się dobrze czuł (stojącą, siedzącą lub leżącą). Rozluźnij ciało, możesz też zamknąć oczy, tak by nic cię nie rozpraszało. Przed tobą trzy etapy wdechu:

1. Spokojnie wciągnij powietrze nosem tak, by przednia ściana brzucha poruszyła się do przodu. Wtedy wypełniasz powietrzem dolną część płuc.

2. Następnie wypnij do przodu dolne żebra i klatkę piersiową – teraz wypełniasz powietrzem środkową część płuc.

3. Następnie wypełniasz górną część płuc, unosząc pierś razem z górnymi żebrami i lekko rozciągając ramiona.

Teraz łączysz powyżej opisane trzy etapy w jeden wolny, spokojny i ciągły wdech. Wypełniasz całą klatkę piersiową powietrzem. Wydech robisz przez nos, wolno utrzymując pierś w napięciu, a w miarę wydychania stopniowo wciągasz brzuch. Jeśli na początku będziesz miał z takim oddechem problem, to jeszcze raz przypominam o możliwości obserwowania oddechu małych dzieci i naśladowania ich sposobu oddychania. Trochę cierpliwości i konsekwencji, a rezultat może cię zaskoczyć.

Swobodne oddychanie według Biblii jest darem Boga, który tchnął życie w nasze ciała. Wschodni mędrcy mówią: „Oddech to życie – im dłuższy jest wydech, tym dłuższe jest życie". Sposób oddychania, czy to przez usta czy przez nos, zależy od sytuacji, a nie od tego, jak powinieneś w danej chwili oddychać. Ciało wie, jak zareagować. Zaufaj mu i pozwól na to najwłaściwsze działanie. Jeśli czytając ten poradnik, siedzisz na krześle, to przerwij i odetchnij. Przechyl się do tyłu, unieś w górę ramiona i weź kilka głębokich wdechów.

Diagnoza własnej energii

Oto, co pomoże ci zdiagnozować poziom energii własnej:

> Oczy – sprawdź, czy się błyszczą i czy są pełne życia. Oczy są zwierciadłem duszy i ciała. Jeśli jesteś zakochany, szczęśliwy, radosny, to są pełne blasku, jeśli jesteś smutny, przygnębiony, to są przygaszone.

> Skóra – jeśli jest różowa, a więc dobrze ukrwiona, dotleniona, świadczy to o wysokim poziomie energii. Gdy jest szara, żółtawa, blada, oznacza to, że przepływ krwi do skóry się zmniejszył.

> Zmęczenie – czy często czujesz się zmęczony? Czy w związku z tym budzisz się z energią do życia, czy też już od rana odczuwasz zmęczenie?

> Zajęcia – czy ich codzienne wykonywanie daje ci zadowolenie, a może jest inaczej?

> Zasypianie – czy z łatwością zasypiasz i śpisz do rana, czy może masz z tym

trudności, a do tego budzisz się w nocy?

> Relaks – czy w ciągu dnia znajdujesz czas na chwile relaksu, w postaci różnego rodzaju aktywności fizycznej, czy też trudno ci się jest odprężyć i spokojnie posiedzieć?

> Jak się poruszasz? Czy czujesz się ociężały, zmęczony, czy też chodzisz z lekkością i wdziękiem?

Wszystkie powyższe ćwiczenia to kolejny trening budowania twojego wewnętrznego diet coacha. Jest to również sposób na ćwiczenie uważności po to, by poczuć, kiedy nie oddychasz. Gdy będziesz świadomy, że wstrzymujesz oddech, to możesz głęboko westchnąć lub wydać jakiś dźwięk. Zauważ, czy i jak bardzo po głębokim oddychaniu się rozluźniasz.

Oddychanie jest podstawową czynnością ludzkiego organizmu i wydawałoby się, że każdy człowiek ma do perfekcji tę umiejętność opanowaną. W rzeczywistości jest inaczej, oddychamy płytko i dodatkowo często wstrzymujemy oddech.

Oddychając tylko przez płuca, nie jesteś w stanie uzupełnić braku tlenu i, tak jak już wspomniałam, wpadasz w błędne koło spadku energii życiowej. Sprzyja temu mała aktywność fizyczna lub jej brak, nadwaga, spożywanie żywności wysoko przetworzonej, przebywanie całymi dniami w pomieszczeniach zamkniętych. Dlatego warto w dzisiejszych, dynamicznych czasach przeznaczyć choćby 5 minut dziennie na ćwiczenia oddechowe. Zwiększając czas świadomego oddychania krok po kroku, zwiększasz swoją energię życiową, jak również wiarę w siebie. Dajesz sobie szansę na długie i zdrowe życie.

W twoim interesie jest, byś stał się świadomy swojego sposobu oddychania. We wszystkich ćwiczeniach oddechowych ważne jest to, aby nie starać się za wszelką cenę osiągnąć najlepszych rezultatów. Tak jak wiele innych funkcji organizmu dzieje się bez twojej interwencji czy starań, tak samo niech będzie z oddychaniem. A więc „NIE RÓB TEGO – POZWÓL, BY SIĘ DZIAŁO". Gdy zaczniesz powoli zmniejszać swój opór i poddasz się temu, co robi twoje ciało, odzyskasz zdrowie i wdzięk.

Ćwiczenia pobudzające przepływ energii w ciele

Poniżej przedstawiam cztery ćwiczenia[57] do codziennego wykonywania, które pobudzają przepływ energii w ciele. Dobrze jest je powtarzać przynamniej raz dziennie przez dłuższy okres.

Ćwiczenie

Ucz się stać swobodnie z lekko ugiętymi kolanami. Stopy równolegle w odległości ok. 20 cm od siebie, brzuch lekko wypuszczony do przodu, ręce swobodnie opuszczone. Skup uwagę na kontakcie stóp z podłożem; najlepiej jest ćwiczyć boso. Oddychaj swobodnie przez rozchylone usta. Jeśli to możliwe, utrzymaj tę pozycję przez dwie minuty. Nie dziw się sugestii, aby wypuścić brzuch. Jeśli staniesz mocniej na własnych nogach, to nie musisz wciągać brzucha i wyginać klatki piersiowej dla utrzymania prostej postawy. Gdy twoje kolana są rozluźnione, stoisz wyprostowany. Gdy zwiększa się stres związany ze zmęczeniem czy emocjami, to twoje kolana się ugną, by go zamortyzować. Natomiast gdy stoisz na wyprostowanych kolanach, są one zablokowane i nie mogą przyjąć stresu. Wtedy umiejscawia się on w dolnym odcinku pleców, a twoje ciało pochyla się do przodu. Tak więc blokując kolana, narażasz dolne partie kręgosłupa na poważne uszkodzenia. Gdy stoisz na ugiętych kolanach i poczujesz zmęczenie, to lepiej usiądź i odpocznij. Wyprostowanie kolan powoduje usunięcie bólu i jednocześnie usztywnienie nóg. Dlatego naucz się stać tak, by stopy były ustawione równolegle w odległości 20 cm, a ugięte kolana były w jednej linii ze środkiem każdej ze stóp.

Ćwiczenie

Teraz rozstaw stopy trochę szerzej i skieruj je lekko do środka. Z ugiętymi kolanami schyl się, dotykając palcami ziemi, a następnie stopniowo prostuj kolana do momentu, gdy poczujesz mrowienie (ale nie prostuj ich całkowicie). Poczuj napięte mięśnie udowe. Ciężar ciała spoczywa na nogach, na przedniej części stóp. Głowa jest opuszczona luźno w dół. Dłonie też są rozluźnione. W trakcie ćwiczenia swobodnie, spokojnie i głęboko oddychasz przez usta do brzucha. Przynajmniej minutę postój w tej pozycji. Możesz poczuć intensywny przepływ energii w dolnej połowie ciała, przejawiający się drżeniem lub wewnętrzną wibracją.

Ćwiczenie

Poza uelastycznieniem stawu kolanowego ważne jest też wzmocnienie stawu skokowego i miednicy. Połóż się na podłodze blisko ściany, unieś stopy i oprzyj je całą powierzchnią o ścianę. Nabierając powietrza, naciśnij miednicą podłoże, a wypuszczając powietrze, unieś ją nieco do góry. Równocześnie z wydechem zrób kilka kroków stopami w górę po ścianie, odrywając powoli kręgosłup od ziemi, krąg po kręgu, aż do chwili, gdy będziesz opierał się na samych ramionach. Utrzymuj się przez chwilę w tej pozycji, a następnie opuść ciało. Skup całkowicie uwagę na doznaniach płynących ze stóp, ud i bioder. Powtórz ćwiczenie 5–7 razy.

Ćwiczenie

Rozluźnienie i wypoczynek po tych ćwiczeniach zapewni pozycja modlącego się muzułmanina. Uklęknij na kolanach, oprzyj się na łokciach i rozsuń kolana. Dłonie i głowę połóż na podłodze, a pośladki unieś wysoko w górę. W tej pozycji oddychaj głęboko, do podbrzusza.

Możesz też ustalić, jak odczuwasz poszczególne części swojego ciała. Odpowiedz na pytania:

1. Czy czujesz swoją twarz? Potrafisz określić, czy twoje usta, policzki i czoło są napięte? Czy wiesz, jaki w tej chwili twoja twarz ma wyraz?

2. Czy potrafisz ruszać swoją szczęką w przód, tył i na boki, nie czując bólu?

3. Czy wyczuwasz napięcie w szyi i w karku? Ruchy głową wywołują ból czy też są swobodne?

4. Czy twoje barki są sztywne? Potrafisz nimi ruszać w dół i w górę oraz w lewą i prawą stronę?

5. Czy twoje plecy są sztywne czy rozluźnione?

6. Czy twoja klatka piersiowa porusza się swobodnie podczas oddychania?

7. Czy oddychasz brzuchem?

8. Czy podczas siedzenia czujesz, że pośladki dotykają krzesła?

9. Czy czujesz swoje stopy, gdy stoisz i gdy chodzisz?

10. Czy czujesz swoje ręce, dłonie, palce?

Im więcej się dowiesz na temat swojego ciała, tym bezpieczniej się będziesz czuł i rozumiał, co się z nim dzieje w trudnych i dobrych chwilach. Jeżeli nauczysz się wsłuchiwać w swoje ciało, czyli odczytywać sygnały, które ono ci wysyła, to kolejny krok będzie polegać na reagowaniu na te znaki. Twoja reakcja jest ściśle związana z twoimi potrzebami.

Przykład: Wybierasz się do sklepu po ciastka i nagle zauważasz, że tak naprawdę wcale nie jesteś głodny. Robisz „stop-klatkę". Zacznij głęboko oddychać, myśląc o tym, co czujesz. Nazwij to. Może pojawić się obawa lub strach, że znowu ci się nie uda. Następny krok to odszukanie tych uczuć w swoim ciele. Gdzie fizycznie je czujesz? Może to być gula w gardle, ściśnięty kark lub ból w klatce. Mogą to być usztywnione szczęki, szyja czy ramiona. Wtedy, dalej głęboko oddychając, zastanów się, jaka twoja potrzeba za tym stoi – przytulenia, miłości, zauważenia, docenienia itd.

Rozwijając świadomość ciała, uczysz się być w kontakcie ze swoimi emocjami. Ćwiczysz głębokie oddychanie, zwiększasz swoją energię i poczucie bezpieczeństwa, a tym samym wzrasta twoje poczucie własnej wartości.

Zapamiętaj

Główne czynniki wpływające na stan twojego zdrowia psychicznego i fizycznego to:

> świadomość – jej poziom wzrasta przy jakimkolwiek relaksującym doświadczeniu, wtedy, kiedy jesteś uważny;

> aktywność – wykonywanie ćwiczeń;

> odżywianie – połączenie ćwiczeń i odżywiania to potężna moc terapeutyczna. Prawidłowe odżywianie poprawia ogólne samopoczucie, łącznie z tym, w jaki sposób myślisz i odczuwasz. Uważny i jasny umysł pomaga w wyborze odpowiedniego pożywienia, właściwej aktywności i sposobu życia;

> zrównoważone emocje – wtedy w naturalny sposób odczuwasz szacunek wobec siebie i dochodzisz do wniosku, że pragniesz odżywiać się najbardziej wartościowym pożywieniem. Zauważasz też, że żywność gorszej jakości cię nie interesuje, ponieważ nie chcesz zanieczyszczać swojego ciała i doprowadzać do obniżenia potencjału swojego umysłu. Taki właśnie związek pomiędzy pożywieniem a umysłem jest kluczem do zachowania równowagi emocjonalnej.

Co powoduje, że tak mało dbasz o ciało?

Odpowiedzi na to pytanie może być wiele, ja wybrałam następujące:

> W niewielkim stopniu uświadamiasz sobie to, co robisz, „tu i teraz".

> Skupiasz się na rzeczach jako nośnikach szczęścia, co często przyczynia się do utraty szacunku wobec własnego ciała i jednocześnie braku pokory oraz empatii zarówno wobec siebie, jak i innych ludzi.

Ludzkie ciało jest tak wyjątkowe, że nic, co stworzył człowiek, nie może mu się równać. Pracując jako diet coach, kilka razy specjalnie weszłam do barów czy też restauracji, w których można zjeść hamburgery, hot dogi, skrzydełka z kurczaka w tłustej panierce czy inne fast foody. Obraz, jaki zapamiętałam sprzed wielu lat, nie zmienił się. Lokal był pełen rodziców z dziećmi, młodych ludzi i osób w średnim wieku. Wszyscy byli rozentuzjazmowani kupowaniem i jedzeniem serwowanych potraw, wokół panował gwar i ruch. Obserwowałam również zachowanie ludzi w sklepie ze zdrową żywnością. Widziałam tam osoby, które w skupieniu kupowały pojedyncze produkty i były przy tym bardzo poważne. Nie zobaczyłam na ich twarzach uśmiechu i zadowolenia, mimo że kupowały zdrową żywność. Może powiesz, że mniejsze zainteresowanie zdrową żywnością związane jest z ceną. Uważam, że jest wiele produktów, które są bardzo zdrowe i na każdą kieszeń, a goszczą na twoim stole rzadko. Myślę tu o typowych polskich warzywach, fasolach, kaszach, soczewicy, bobie i owocach. Czy spożywasz je i ile razy dziennie, a może właściwe pytanie to: ile razy w miesiącu?

Co robić, by jeść taniej i zdrowiej? Jest na to wiele sposobów. Możesz np.:

> dokładnie przeżuwać i wtedy będziesz jadł mniej;

> gotować w domu i zabierać jedzenie do pracy;

> pamiętać o piciu wody;

> zjadać posiłki o regularnych porach, dzięki czemu nie będziesz miał tzw. wilczego apetytu.

Dlaczego więc w ekosklepach nie ma rodzin z dziećmi, a rodzice nie uczą swoich pociech kupowania zdrowej, pozbawionej konserwantów i ulepszaczy żywności? Może warto przeformułować cel związany ze spędzaniem czasu z rodziną. Dzieci naśladują rodziców – to, co jest serwowane w trakcie wspólnych obiadów, oraz to, w jaki sposób takie obiady mijają, jest również istotnym elementem świadomego odżywiania.

Wrócę do zdrowego odżywiania dzieci. Codziennie widzę piękne bobasy we wspaniałych wózeczkach zajadające się chrupkami, batonikami, paluszkami i innym śmieciowym jedzeniem, mimo że ich mamy wiedzą, że takie przekąski nie dostarczają dziecku żadnej wartości odżywczej. Co stoi na przeszkodzie, by dać dziecku skórkę od chleba upieczonego z mąki z pełnego przemiału na zakwasie lub marchewkę, kawałek jabłka czy liść sałaty? W ten sposób od najmłodszych lat rozwijasz w swoim dziecku zdrowe nawyki żywieniowe. Dobrze jest pamiętać, że dzieci jedzą to, co ty; to, co im kupujesz, lub to, na co dostają pieniądze.

Dzieci od pierwszych chwil swojego życia, poznając świat, są wszystkiego bardzo ciekawe. Tu właśnie rozpoczyna się rola rodziców, by podać im najpierw w butelce, a potem na talerzu to, co najzdrowsze, a więc żywność wysokiej jakości. Istotne jest przekazywanie dzieciom wiedzy o żywności i żywieniu poprzez działanie, a więc codzienne posiłki. Wspaniale, gdy choć jeden posiłek jest wspólny i jedzony przy stole.

Podstawowym nawykiem, który warto rozwijać od najmłodszych lat, jest odczuwanie przyjemności z jedzenia. Pozwól dzieciom smakowania rękoma i buzią. Nie bój się, że coś się pobrudzi lub będzie więcej pracy po wspólnym obiedzie. To właśnie wspólne siedzenie przy stole, rozmowy i wzajemna uważność są podstawą odżywiania dla zdrowia. Smakowanie, wąchanie, dotykanie to zmysły niezbędne przy jedzeniu. Taki wspólny obiad czy kolacja każdego dnia wytworzą wspaniałe nawyki na całe życie.

Zdrowa kuchnia to kuchnia kolorowa, pełna smaków i zapachów, które pamiętamy przez całe życie. To kuchnia, w której każdy czuł się bezpiecznie i jadł tyle, ile chciał. Nie musiał jeść wszystkiego, co miał na talerzu, mógł sobie sam na talerz nałożyć swoją porcję. Jadł powoli, smakując, dokładnie przeżuwając, zgadując przy tym, jakie składniki i przyprawy zostały w daniu użyte.

Waga ciała a twoje wyobrażenie o pięknie

Przy okazji omawiania praktyki budowania wewnętrznego diet coacha nie sposób pominąć sprawy akceptacji wyglądu. Prawie każdy, kto miał problem ze swoją wagą, wypowiadał poniższe zdanie: „Gdybym tylko mógł stracić te siedem kilo, to byłbym naprawdę szczęśliwy". Niestety większość dziewcząt i kobiet jest niezadowolona ze swojego wyglądu i poprzez różnego rodzaju diety podejmuje ekstremalne wysiłki, by go zmienić. W jednym z badań 63% kobiet określiło wagę jako kluczowy czynnik samooceny, ważniejszy niż rodzina, szkoła czy kariera. Większość kobiet wraz ze wzrastającą liczbą kilogramów traci pewność siebie i czuje się bezwartościowa. Jest mnóstwo kobiet, które wiążą niezadowolenie z wagi z całym własnym wizerunkiem. W obecnym świecie dużo młodych dziewcząt wierzy, że jedyną drogą do poprawy wyglądu jest spadek wagi. W mediach ciągle mówi się przecież o dietach, nowych produktach pomagających zmniejszyć wagę ciała tak, by wyglądać świetnie. Biorąc to wszystko pod uwagę, można i trzeba odpowiedzieć sobie na pytanie: co tak naprawdę oznacza ten świetny wygląd?

Dla niektórych świetny wygląd to rozmiar 34 lub 36, można więc powiedzieć, że wtedy szczupłe = wieszak = ubranie. Dla mnie świetny wygląd ma inną definicję: naturalny = piękno = osoba, a nie ubranie. W badaniach na temat zmian w wyglądzie modelek zauważono, że po II wojnie na wybiegach królowały piękne kobiety o naturalnych kształtach. W latach 60. nastała era bardzo, bardzo szczupłych modelek. Wynikało to z faktu, że przychodzący na pokazy widzowie nie zawsze zauważali oryginalne wzory, nowe kroje itp. Najpierw widzieli piękne kobiety, ich wspaniałe ciała i proporcje. Dopiero badania związane z poznaniem czynników zwiększających sprzedaż ubrań spowodowały zwrot ku bardzo szczupłym modelkom, a wszystko po to, by najpierw dostrzeżony został strój, a potem cała reszta.

Czy wiesz, że jedynie 2% kobiet na świecie określa siebie jako „piękne"? Wiele kobiet uważa, że musi zmienić swoje ciało, by odzyskać pewność siebie i poczucie własnej wartości. Stąd też coraz więcej problemów z wagą i coraz częstsze zaburzenia odżywiania.

W procesie diet coachingu stosunek do własnego ciała jest szczególnie istotny, choćby ze względu na potrzebę codziennej aktywności fizycznej. Poniżej kilka zadań mających na celu wykonanie pierwszego kroku w kierunku akceptacji swojego wyglądu:

> Zastanów się, czy nie chodzisz na pływalnię lub do klubu fitness tylko dlatego, że przejmujesz się swoim wyglądem. Często jest tak, że skupiasz się na tym, jak wyglądasz, bo najważniejsze jest to, co powiedzą lub pomyślą o tobie inni, gdy cię zobaczą z tymi wylewającymi się brzusznymi fałdami. W takich sytuacjach zapominasz, że twoje ciało wykonuje też pewne funkcje i tylko ty możesz mu w tym pomóc. Przypomnij sobie, jak czułeś się wtedy, kiedy ostatnio pływałeś lub tańczyłeś. Jakie sygnały wysyłało ci twoje wspaniałe, jedyne i niezastąpione ciało? Jeśli nie pamiętasz, to przepłyń kilka basenów przynajmniej trzy razy w tygodniu i będziesz znał odpowiedź. Zauważ też, że wśród osób w klubie fitness czy na basenie są takie, które nie przypominają modelek i modeli z okładek czasopism.

> Przypomnij sobie, czy znasz osobę, która nie nosi rozmiaru 34 czy 36, a jest piękna, lubiana i świetnie się ze sobą czuje. Korzystna byłaby dla ciebie rozmowa z nią. Możesz zapytać o wiele spraw, a zebrane informacje przemyśleć, tak by wreszcie wybrać te, które mogą być dla ciebie przydatne.
> Stwórz listę ludzi, których podziwiasz, mimo że nie mają doskonałych ciał. Jak to, że nie wyglądają jak modelki czy modele, wpływa na twój stosunek do nich?

Ważny jest też fakt, że kobiety, które w latach 50. czy 60. uważane były za piękności i symbol seksu, dzisiaj byłyby zbyt pełne. Czy wiesz np., że Marilyn Monroe nosiła rozmiar 42?

Wspomniałam o różnorodności diet dostępnych na rynku, niemniej badania dowodzą, że osoby, które były na diecie, często cierpią potem na częściowe lub całkowite zaburzenia odżywiania, obniżone poczucie własnej wartości, jak również nasilone wahania nastroju.

Dobrze jest pamiętać o tym, że 25–70% ciała jest zależne od genów. Stąd nie możemy zmienić wielu aspektów ciała, ale możemy zmieniać nasze przekonania, postawy i zachowania, które wpływają na sposób odczuwania siebie. Zmiana zaczyna się od wewnątrz, od szacunku do siebie i od pozytywnego nastawienia. Ważne, by uświadomić sobie, że tylko 4% kobiet genetycznie ma idealne ciało, czyli takie, które obecnie jest prezentowane jako idealne w mediach.

Dlatego jeśli chcesz, popatrz na swoje ciało inaczej niż dotychczas. Przecież możesz zmienić swoje wyobrażenie o pięknie. Za każdym razem, kiedy patrzysz na siebie w lustro i mówisz: „Jestem gruby i tłusty", zapytaj raczej: „Co teraz czuję?". „Tłusty" to nie uczucie. Mówiąc tak, unikasz uczuć. Gdy koncentrujesz się na swoim ciele, pomyśl, od czego odwracasz uwagę. Jeśli chcesz, zrób poniższe ćwiczenie, które pozwala na zmianę wyobrażenia o pięknie.

Ćwiczenie

Popatrz na swoje ciało inaczej[58]
Przygotuj sobie wspaniałą relaksującą kąpiel. Zanurz się w wannie, zamknij oczy i:
> Pomyśl o trzech rzeczach, które lubisz w swoim wyglądzie. Co takiego w nich jest, że ci się podobają?

> Zastanów się nad trzema rzeczami, których nie lubisz w swoim wyglądzie i które są źródłem twoich kompleksów. Czy zawsze ich nie lubiłeś (nawet jako dziecko)? Co lub kto spowodował, że teraz tak o nich myślisz?

> Znajdź w nich coś pozytywnego. Postaraj się poczuć ich dobre strony.

> Pomyśl, kim byś był, gdybyś nie myślał o sobie i swoim ciele w ten sposób.

> Pomyśl, w jaki sposób takie myślenie i związane z nim emocje cię ograniczają.

> Zastanów się, kim byś był i co byś czuł, gdybyś zaakceptował swoje ciało.

> Pomyśl, co możesz zrobić, aby choć w małym stopniu zaakceptować lub polubić swoje ciało.

> Nie spiesz się. Daj sobie chwilę.

> Potem wytrzyj się ręcznikiem, zwracając uwagę na każdy ruch, i poczuj, jak to jest, gdy delikatnie wycierasz kolejne części swojego ciała.

> Zwróć uwagę na pojawiające się myśli, lecz nie przywiązuj się do nich, skup się na odczuciach płynących z ciała.

> Potem posmaruj kremem lub balsamem twarz oraz całe ciało ze szczególną uwagą.

Jak się teraz czujesz? Co czułeś w trakcie kąpieli i po jej zakończeniu? Czy pojawiła się jakaś nowa myśl? Możesz zanotować swoje spostrzeżenia, możesz też powtarzać to ćwiczenie tak często i tak długo, jak chcesz. Z uważnością przyglądaj się swojemu ciału i swoim myślom na jego temat.

Gdy będziesz gotów, możesz stanąć nago przed lustrem i powiedzieć sobie coś miłego o swoim ciele lub niektórych jego częściach, np.: że lubisz swoje ciało, masz wspaniałe dłonie, stopy i twarz lub że twoje pośladki i piersi są fantastyczne, w pełni je akceptujesz itp.

Możesz też poprosić bliską ci osobę, by odpowiedziała na pytanie, co według niej w twoim ciele jest szczególnie piękne. Porównaj wyniki. Jeśli chcesz, dopytaj ją, dlaczego wybrała właśnie te części twojego ciała, jakie są w ogóle jej wyobrażenia na temat pięknego ciała. Potraktuj tę wypowiedź z empatią i szacunkiem. Jeśli się z nią nie zgadzasz, masz do tego prawo. Twój rozmówca ma też prawo do postrzegania ciebie po swojemu, do własnych kanonów piękna. Przyjmij to, co ci powie, z wdzięcznością i ciesz się z tego, że twoje ciało jest jedyne i niepowtarzalne tak jak cały ty.

Emocje i twój wewnętrzny diet coach

Współczesna medycyna ciągle jeszcze koncentruje się przede wszystkim na tzw. jednostce chorobowej, czyli na zakłóceniach w funkcjonowaniu narządów i organów u pacjenta. Nie uwzględnia i nie bierze pod uwagę jego subiektywnych odczuć. Natomiast diet coaching zajmuje się takimi właśnie, bardzo osobistymi doznaniami obejmującymi emocje związane z jedzeniem. Tak więc, budując swojego wewnętrznego diet coacha, będziesz obserwować także swoje emocje, ponieważ ich wpływ na stan zdrowia jest niezaprzeczalny. Nauka wykazała, że umysł, ciało i emocje są ze sobą ściśle związane.

Stres i negatywne emocje, takie jak: złość, niepokój, nieufność, cynizm, lęk, szkodzą zdrowiu poprzez osłabianie funkcjonowania komórek odpornościowych. Niemniej możesz nauczyć się dostrzegać negatywne emocje związane z jedzeniem w chwili, gdy zaczynają powstawać. Uważna świadomość, która jest jednym z elementów inteligencji emocjonalnej, i nazwanie tego, co czujesz, może ci bardzo pomóc w procesie zmian dietetycznych. Uczenie się emocji i ich nazywanie jest procesem, który towarzyszy nam przez całe życie. Rozwój i wzrost naszej inteligencji emocjonalnej zależy od nas. Nawyki emocjonalne, nawet te najbardziej głębokie, możemy zmienić na inne, bardziej dla nas korzystne.

Braki emocjonalne, takie jak nieumiejętność odróżniania przykrych uczuć od innych oraz panowania nad nimi, sprzyjają powstawaniu zaburzeń łaknienia. Często w trudnej emocjonalnie sytuacji nawet nie próbujesz nazwać tego, co czujesz, a za chwilę myślisz już tylko o tym, jak fatalnie wyglądasz. Następny twój automatyczny krok to batonik lub czekolada z orzechami. W ten sposób utrwalasz nawyk poprawiania sobie samopoczucia za pomocą jedzenia. Objadanie się z jednej strony i chęć bycia szczupłym z drugiej prowadzą w końcu do stosowania wielu dostępnych diet lub środków odchudzających, a nawet zbyt intensywnych ćwiczeń fizycznych, aby tylko pozbyć się nadmiarowych kilogramów.

Natomiast nauczenie się rozpoznawania swoich uczuć, działania takiego, by być spokojnym i zadowolonym z siebie, jak również wypracowanie pozytywnych relacji z innymi powoduje, że w trudnych sytuacjach nie korzystasz z jedzenia jako klucza rozwiązującego emocjonalny problem. Warto w tym miejscu przypomnieć znaczenie samego słowa „emocja". Otóż pochodzi ono od łac. *emotio* i oznacza: przejęcie się czymś, podniecenie, wzburzenie; silne przeżycie uczuciowe, np.: gniew, strach, radość[59].

Na końcu poradnika znajdziesz spis emocji, który pomoże ci w nauce nazywania tego, co czujesz.

Jak rozwijać wiedzę o sobie?

Do umiejętności, które ułatwią ci życie, należą[60]:

1. **Samoświadomość** – obserwowanie siebie, rozpoznawanie i wyrażanie uczuć oraz panowanie nad nimi. Oznacza to takie przygotowanie, które zapewni ci panowanie nad impulsami, jak również zdolność do decydowania o zaspokojeniu swoich pragnień później. Samoświadomość oznacza również radzenie sobie ze stresem i niepokojem. Poniżej przedstawiam przykład: co ty robisz w podobnych sytuacjach? Bądź obserwatorem takich zdarzeń i nazywaj to, co czujesz.

Przykład

Jesteś po pracy, bardzo ciężko pracowałeś i znowu wracasz sam do pustego mieszkania. Pojawia się myśl, która obecna jest przez ostatnie pół roku – „Kupię sobie pudełko moich ulubionych lodów, zasługuję na taką przyjemność". Jeśli powiesz sobie „stop" i zastanowisz się, co powoduje, że masz chęć na słodycze, jakie uczucie za tym stoi, to może sam sobie odpowiesz, że to smutek i rozczarowanie, bo nie masz partnera. Zrozumiesz wtedy, że lody nie rozwiążą twojego problemu. Działając pod wpływem impulsu, kupisz sobie lody i zjesz całe opakowanie, oglądając jakiś stary film o miłości. Obudzisz się rano z moralnym kacem: „Jestem do niczego, znowu nie miałem silnej woli i nażarłem się tych wstrętnych lodów".

2. **Podejmowanie decyzji** – analizowanie podejmowanych działań i przewidywanie ich konsekwencji.

Przykład

Jesteś zestresowany sytuacją w pracy i przyszło ci do głowy, że dla poprawy nastroju zjesz ciastko z kremem. Jeżeli tak zrobisz, to będziesz miał na krótko wysoki poziom glukozy we krwi, a za chwilę znowu powróci tamto niechciane uczucie (np. złości na szefa, że znowu wepchnął ci dodatkową robotę, a ty znowu nie odmówiłeś) i zjesz następne ciastko, następne, aż zniknie całe opakowanie.

Spowoduje to poczucie niechęci do siebie, do swojego wyglądu i nadmiaru paru kilogramów.

3. **Kierowanie uczuciami**, czyli uważne obserwowanie „rozmów z sobą samym". Wszystko to po to, by nie wpaść w samonapędzającą się spiralę negatywnych myśli na swój temat.

Przykład

Postanawiasz, że będziesz wstawać o 6.00 rano i wychodzić na szybki spacer, tzw. power walking, trwający 30 minut. Robisz to, by wprowadzić do swojego życia więcej ruchu i schudnąć. Pierwsze dwa dni dziarsko wstawałeś, ale trzeciego dnia już ci się nie chciało. Zobaczyłeś, że za oknem nie świeciło słońce, było dość chłodno i pomyślałeś, że nie ma sensu się tak męczyć, przecież już dwa dni ćwiczyłeś, to teraz nic wielkiego się nie stanie, jeśli nie pójdziesz. Jutro spróbujesz znowu. Zasługujesz jeszcze na kilka minut snu.

Ćwiczenie

1. Zaobserwuj, jak się czujesz, znajdując najróżniejsze wytłumaczenia w podobnych sytuacjach. Zwykle ludzie myślą: „Zrobiłem się marudny", „Nigdy nie osiągnę swoich celów", „Czuję się zdołowany lub czuję się bardziej zmęczony, niż jestem".

2. Czy twoja wiara w siebie wzrasta?

3. Jak postąpiłbyś w rozważanej sytuacji, tak by pomogło ci to w osiągnięciu celu? Może powiesz: „Polubiłem te spacery, zrobiłem je już dwa razy i było OK. Mogę zrobić to znowu – będę się czuł lepiej, będę zadowolony z siebie, gdy wstanę teraz i pójdę na power walking".

4. Jeśli w ten sposób rozmawiasz z samym sobą, to co się dzieje z wiarą w siebie?

5. Zastanów się, jakie mogą być inne rozwiązania.

4. **Radzenie sobie ze stresem** poprzez poznanie metod relaksacyjnych, ćwiczenie uważności, różnorodne formy aktywności fizycznej, oddychanie przeponowe.

5. **Empatia** – oznacza umiejętność rozumienia innych ludzi poprzez wyobrażanie sobie stanu, w którym się oni znajdują; uważne słuchanie, szanowanie różnic pojawiających się w postrzeganiu świata przez ludzi.

6. **Porozumiewanie się** – umiejętność słuchania i zadawania pytań, nieocenianie, mówienie w pierwszej osobie o własnych odczuciach powstałych w wyniku konkretnego zachowania kogoś, z kim rozmawiasz.

7. **Otwartość** – budowanie zaufania poprzez otwartość w kontaktach z innymi ludźmi.

8. **Samoakceptacja** – wiedza na temat swoich mocnych stron i słabości, umiejętność widzenia siebie w pozytywnym świetle, dbałość o wysokie poczucie własnej wartości.

9. **Odpowiedzialność osobista** – wzięcie odpowiedzialności za swoje życie, nieszukanie winnych na zewnątrz, dbanie o znalezienie dobrych rozwiązań w trudnych sytuacjach, ponoszenie konsekwencji swoich działań, akceptacja swoich uczuć i nastrojów.

10. **Asertywność** – przedstawianie swoich uczuć bez złości i zwątpienia.

11. **Współdziałanie w grupie** – wiedza i umiejętności dotyczące tego, kiedy, gdzie i w jaki sposób przewodzić grupie, być jej liderem, a kiedy podążać za kimś.

12. **Umiejętność rozwiązywania konfliktów** – wiedza i umiejętności dotyczące tego, jak spierać się z innymi tak, by obie strony wygrywały.

Ćwiczenie

Sprawdzian opanowania umiejętności poszerzających wiedzę o sobie

Jak oceniasz każdą z nich w skali 1–10? Jeden to minimum opanowania, a dziesięć to maksimum. Postaw znak X w wybranym przez siebie okienku:

1. Samoświadomość:

Minimalnie	1	2	3	4	5	6	7	8	9	10	Maksymalnie

2. Podejmowanie decyzji:

Minimalnie	1	2	3	4	5	6	7	8	9	10	Maksymalnie

3. Kierowanie uczuciami:

Minimalnie	1	2	3	4	5	6	7	8	9	10	Maksymalnie

4. Radzenie sobie ze stresem:

Minimalnie	1	2	3	4	5	6	7	8	9	10	Maksymalnie

5. Empatia:

Minimalnie	1	2	3	4	5	6	7	8	9	10	Maksymalnie

6. Porozumiewanie się:

Minimalnie	1	2	3	4	5	6	7	8	9	10	Maksymalnie

7. Otwartość:

Minimalnie	1	2	3	4	5	6	7	8	9	10	Maksymalnie

8. Samoakceptacja:

Minimalnie	1	2	3	4	5	6	7	8	9	10	Maksymalnie

9. Odpowiedzialność osobista:

Minimalnie	1	2	3	4	5	6	7	8	9	10	Maksymalnie

10. Asertywność:

Minimalnie	1	2	3	4	5	6	7	8	9	10	Maksymalnie

11. Współdziałanie w grupie:

Minimalnie	1	2	3	4	5	6	7	8	9	10	Maksymalnie

12. Umiejętność rozwiązywania konfliktów:

Minimalnie	1	2	3	4	5	6	7	8	9	10	Maksymalnie

Następnie wybierz dwie umiejętności, które na obecnym etapie budowania wewnętrznego diet coacha wydają ci się szczególnie ważne, nad którymi chcesz popracować. Napisz plan, w jaki sposób zamierzasz je rozwijać, krok po kroku.

Poszczególne umiejętności możesz rozwijać sam poprzez codzienne doświadczenia. Możesz również wybrać się na warsztaty lub na sesje diet coachingu. Spis literatury na końcu poradnika też może być twoją inspiracją.

Głód – tak czy nie?

Kolejnym krokiem do rozwoju wewnętrznego diet coacha jest obserwacja stanu, kiedy odczuwasz głód. W wyniku stosowania wielu diet, nieregularnych posiłków, ciągłego podjadania wiele osób ma problem z rzeczywistym odczuwaniem głodu. Na pytanie: „Kiedy ostatnio byłeś głodny?" wielu moich klientów okazywało zdziwienie. Związane jest to z faktem, iż nie zastanawiali się nigdy nad sygnałami wysyłanymi przez ciało.

Głód oznacza subiektywne uczucie potrzeby jedzenia, które powoduje wzrost apetytu i uruchomienie zachowań związanych z poszukiwaniem, a następnie spożyciem pokarmu. Apetyt związany jest przede wszystkim z uczuciem przyjemności, jakiej dostarcza jedzenie. Głód i apetyt nie zawsze występują jednocześnie, czego zapewne wielokrotnie doświadczyłeś. Możesz być głodny i nie mieć apetytu na określony pokarm i odwrotnie – możesz nie odczuwać głodu, a mieć apetyt na jakiś szczególny produkt i w konsekwencji go zjeść. Zwykle jesz to, co lubisz, a unikasz tego, czego nie lubisz. O twoim wyborze decyduje indywidualny stosunek do smakowitości danego pokarmu.

Często jest tak, że nie odczuwasz głodu, jesteś najedzony, a jednak masz ochotę coś zjeść. Tak więc odczucie głodu bywa złudne. O iluzorycznym charakterze głodu już wspominałam, niemniej jest to ogromnie ważny aspekt jedzenia. Jeśli będziesz zwracać uwagę na sygnały płynące z ciała, możesz się zorientować, czy twój głód jest fizjologiczny, czy może psychiczny.

Wyobraź sobie teraz, że w twoim ciele znajdują się dwa zbiorniki, z których jeden to zbiornik głodu fizjologicznego, a drugi – zbiornik głodu psychicznego. Zbiornik głodu fizjologicznego to po prostu żołądek, który dostarcza pokarmu całemu twojemu ciału. Wypełniasz go żywnością, a on już dalej dokładnie wie, co robić, by uczucie głodu znikło. Drugi zbiornik reaguje na głód psychiczny i dostarcza pożywienia twojej psychice, duszy. Wypełniasz go, zaspokajając potrzeby psychiczne. Jedzenie nie sprawi, że zbiornik psychiczny będzie pełny. Pamiętasz pewnie brak poczucia sytości, nawet gdy jadłeś przed chwilą. Jedzenie nie zaspokoi twoich potrzeb psychicznych, bo nie wpływa na to, co dzieje się w twoim życiu. To ty sam decydujesz i wybierasz, co, kiedy, jak, ile, gdzie i z kim jesz[61].

Istotnym elementem w budowaniu wewnętrznego diet coacha jest doświadczenie rzeczywistego głodu. Wtedy bowiem nasze ciało potrzebuje kolejnej dawki energii, którą otrzyma poprzez zjedzenie zdrowej żywności. Dla przypomnienia: zdrowa żywność to przede wszystkim takie pożywienie, które dostarcza organizmowi substancji odżywczych; nie należą do niej wszelkie produkty mające tzw. puste kalorie, a więc słodycze, żywność wysoko przetworzona, nadmierne ilości tłuszczu itp. Wyobraź sobie sytuację, w której masz jeść 5–6 posiłków dziennie i tak robisz, tyle tylko, że nie zawsze odczuwasz głód przed ich zjedzeniem. Po prostu jesz, bo tak trzeba, ponieważ ktoś ci powiedział, że tak być powinno, a ty nie słuchasz swojego ciała, które np. nie strawiło jeszcze wysokobiałkowego posiłku i nie potrzebuje dodatkowych kalorii.

Ciało, by mogło dobrze trawić pożywienie, musi przed przeróbką kolejnej porcji uporać się z poprzednią. Jeśli wystarczają ci trzy posiłki dziennie, bez dodatkowych przekąsek, a dostarczasz w nich odpowiednią dla swojego wieku, wzrostu i aktywności liczbę kalorii, to jesz jak najbardziej „prawidłowo”. Zdrowe odżywianie wcale nie oznacza ciągłego jedzenia i trawienia żywności.

Natomiast bardzo korzystne jest nauczenie swojego ciała regularnych posiłków. Ucząc się jedzenia posiłków o określonych porach, zawsze należy zachować zdrowy rozsądek i nie jeść wtedy, kiedy nie jest się głodnym. Daj swojemu ciału trochę czasu, by wysłało sygnał, że właśnie teraz jest właściwa pora. Jak poznać, wychwycić te bardzo ważne sygnały? Są one istotne szczególnie dla osób, które chcą osiągnąć odpowiednią dla siebie wagę, czyli taką, by mieć dużo energii do codziennego działania i czuć się ze sobą dobrze (by wskaźniki dotyczące kilogramów, ilości wody, tkanki tłuszczowej, mięśniowej oraz wyniki badań krwi i moczu były w normie).

Zapamiętaj

Sygnałami zdrowego, naturalnego głodu, jakie wysyła nam ciało, są:

> wyraźniejsze czucie smaku;

> zwiększona ilość śliny w ustach;

> wrażenie drapania w gardle.

Objawami nienaturalnego głodu są:

> bóle głowy;

> zmęczenie;

> mdłości;

> osłabienie;

> irytacja;

> skurcze i ściskanie w brzuchu[62].

Jedzenie pełnowartościowego pożywienia przez okres dwóch, trzech miesięcy wpłynie na ustąpienie objawów nienaturalnego głodu. Odczuwanie naturalnego głodu spowoduje, że będziesz jadł z większą przyjemnością i apetytem, a liczba spożywanych kalorii będzie odpowiadała biologicznym potrzebom ciała.

Odżywianie dla zdrowia jest bardziej efektywne niż mierzenie wielkości porcji, szczególnie gdy dbasz o swoją wagę. Jeśli będziesz spożywać żywność o wysokich właściwościach odżywczych i tylko wtedy, gdy odczuwasz naturalny głód, nie będziesz tyć. Ciało nie magazynuje dużych ilości tłuszczu, jeśli jesz tyle, by się najeść, czuć sytość, ale się nie przejeść. Tak jak napisałam wyżej, naturalny głód jest odczuwalny w przełyku, gardle i ustach, a nie w brzuchu lub w głowie. To ciało śle sygnały, że jego układ pokarmowy wraz z enzymami jest gotowy na przyjęcie nowej porcji życiodajnego pożywienia. Rezultatem takich działań jest zdrowe, pełne radości życie, zdrowe ciało i duch. Czujesz się wspaniale i nigdy nie jesteś przejedzony.

Jak postępować z żołądkiem?

1. Ustal regularny czas posiłków: jedz 5–6 posiłków, w tym trzy główne i 2–3 przekąski – obserwuj swoje ciało, by sprawdzić, jaki harmonogram najbardziej ci odpowiada.

2. Skup się na rozpoznawaniu, czy głód, który odczuwasz, jest rzeczywiście naturalny.

3. W trakcie jedzenia skup się również na ocenie poziomu sytości żołądka. Żołądek to nie język, a więc nie odczuwa smaku. Skończ jeść wtedy, gdy twój żołądek nie jest całkowicie pełny.

   Kiedyś usłyszałam, że jest to taki moment, gdy możesz zjeść jeszcze kęs, dwa lub trzy, ale tego nie robisz i kończysz jeść, bo wiesz, że jeśli nie przestaniesz, to będziesz już przejedzony. Nie jesz tego kęsa i zostawiasz go na talerzu, pomimo że się zmarnuje, że nie wyrzuca się żywności, bo inni głodują itp. Działasz właśnie tak, bo taką decyzję podjąłeś. Robisz to, by ustalić, jakie ilości pożywienia są dla ciebie naturalne. Tym samym zapewniasz sobie zdrowie i zadowolenie z siebie.

4. Zadbaj o zrozumienie wszelkich emocji, przekonań, nawyków, myśli – czynników wpływających na ilość spożywanej przez ciebie żywności.

W wyniku stosowania różnych ograniczeń żywieniowych często masz do czynienia z poczuciem straty. Odczuwasz wtedy brak możliwości zjedzenia tego, co lubisz, a twój wewnętrzny krytyk domaga się podjęcia natychmiastowych działań. Takiemu stanowi towarzyszy gniew, złość, obwinianie innych, ból, bezradność, rozczarowanie, zmęczenie czy żal.

Uważam, że ćwiczenie silnej woli w trakcie zmiany stylu odżywiania jest niekorzystne, jeśli towarzyszy mu poczucie straty. Ważne jest, by świadome odżywianie nie było w żadnym wypadku łączone z myślami typu: „Jestem biedny, bo nie mogę jeść lodów", „Inni jedzą czekoladę, a ja nie…", „Moja koleżanka je ciastka i jest szczupła, a ja muszę się męczyć" itp.

Zapamiętaj

Świadome odżywianie to twórcze działanie, w trakcie którego to TY podejmujesz decyzje, dokonujesz wyborów i postanawiasz, w którym kierunku idziesz. To ty wybierasz swoje wartości i kanony postępowania dotyczące jedzenia.

Ty jesteś dowódcą i ty możesz wprowadzać różne zmiany. Wprowadzasz je świadomie, wiesz, co stanie się w twoim organizmie, gdy zjesz tzw. żywność śmieciową. Biorąc odpowiedzialność za swoje świadome wybory, masz wielką moc działania i decydowania. Wiesz również, że z każdym działaniem związane są konsekwencje, które jesteś gotów ponieść.

Gdy mówisz o zdrowym odżywianiu lub zdrowym stylu życia, to najczęściej myślisz o schudnięciu, czyli o diecie opartej na zmniejszonej liczbie kalorii. W chwili obecnej propagowanych jest kilkaset diet odchudzających! Wszystkie oferują zapewnienie, że tym razem na pewno schudniesz szybko i bez wysiłku. I rzeczywiście dzieje się tak: najczęściej – przejściowo – traci się na wadze. Prawdziwą sztuką jest jednak utrzymać na stałe tę nową wagę. A to właśnie najczęściej się nie udaje. Zwykle jest tak, iż im szybciej stracisz kilogramy, tym szybciej pojawiają się one znowu – po zakończeniu diety. Zazwyczaj ważysz wtedy więcej niż przed rozpoczęciem kuracji. Ten znany rezultat nosi nazwę efektu jo-jo.

W czasie trwania diety organizm „sądzi", że nadszedł czas głodu i aby przeżyć, przestawia się na zwolnione spalanie energii i jednocześnie dokładniejsze trawienie. Początkowe sukcesy w postaci wskazań domowej wagi są po prostu złudzeniem. Utrata kilogramów wynika przede wszystkim z utraty wody przez organizm, z opróżnienia jelit i zaniku mięśni (mięśnie ważą ok. 3 razy więcej niż tłuszcz). Jeśli zamierzona waga zostanie osiągnięta, dieta zostaje zakończona i zaczynamy znowu jeść „normalnie". Organizm przestawia się bardzo łatwo na sytuację kryzysową, ale odwrócenie tego procesu na ponowne szybsze spalanie kalorii wymaga zazwyczaj dużo więcej czasu. Po okresie kryzysu ciało stara się zgromadzić rezerwy na ponowne nadejście głodu i przyspiesza odkładanie tłuszczu. Pomimo tego, że jesz normalnie, zaczynasz szybko tyć, a ponieważ dieta spowodowała też spalenie twoich mięśni, jesteś grubszy i mniej umięśniony niż przed jej rozpoczęciem. Z każdą nową dietą odchudzającą organizm coraz lepiej przystosowuje się do niej i jeszcze mocniej rozwija swe zdolności „przetrwania". Coraz trudniej jest ci tracić kilogramy i coraz szybciej przybierasz na wadze po zakończeniu diety. Stałe obniżenie wagi jest możliwe jedynie poprzez poznanie potrzeb własnego ciała, a w następnym kroku – zmianę sposobu odżywiania.

Większość badaczy uważa, że niemowlęta odżywiają się w sposób idealny. Spożywają bowiem taką ilość pokarmu, która jest im naprawdę potrzebna. Niemowlę reguluje ilość pokarmu, zanim będzie mogło wybierać różnego rodzaju jedzenie. Kiedy jest głodne, płacze. Nawet gdy może jeść bez ograniczeń, samo przestaje, gdy się nasyci. Kiedy przerwie mu się jedzenie na chwilę przed tym, gdy skończy samo jeść, nie płacze. Jeśli przerwie mu się jedzenie, gdy jeszcze nie jest najedzone, zacznie płakać lub będzie większość czasu podenerwowane. Każdy z nas rodzi się z biologicznym systemem regulacji apetytu. Gdy jemy wszystko, co jest pod ręką, byle gdzie i byle jak, w naszym ciele i psychice zachodzą zmiany powodujące różnego rodzaju problemy z wagą.

Jak nie stracić kontroli nad jedzeniem?

W jakie narzędzia możesz wyposażyć swojego wewnętrznego diet coacha, by nie tracić kontroli nad ilością i jakością spożywanego jedzenia oraz wykorzystać zdobytą wiedzę?

Naturalnym zachowaniem dla wielu ludzi, może też i dla ciebie, jest traktowanie jedzenia jako swoistej nagrody czy też pocieszenia, np. za trudny dzień w pracy, stresującą rozmowę z podwładnym lub przełożonym, za to, że nie masz partnera, a może też za to, że cały tydzień lub kilka dni wytrwałeś bez ciastek, czekolady czy wspaniałego schabowego.

Jak zmienić swój punkt widzenia, czyli innymi słowy swoje przekonania i nawyki dotyczące takiego właśnie poglądu na jedzenie? Obserwuj siebie poprzez prowadzenie codziennych notatek dotyczących jedzenia, wielkości porcji i samopoczucia po ich spożyciu. Zorientujesz się, czy to, co zjadłeś, rzeczywiście ci służy, a może zauważysz, że twoje porcje są zbyt duże albo też że po zjedzeniu pewnych produktów czujesz się pełen energii, a po zjedzeniu innych po prostu chce ci się spać. Odpowiadając na postawione w tym poradniku pytania i idąc swoją, wybraną przez siebie drogą, krok po kroku będziesz się uczył nowych zachowań, które z czasem mogą się stać nawykami prowadzącymi do długiego, zdrowego życia. Praca rozwijania samokontroli i uważności połączona z wiedzą o żywności i żywieniu to podstawa twoich osiągnięć.

Rozwiązania przedstawione w poradniku nie są cud pigułkami, dają ci jedynie narzędzia do pracy zmierzającej do samopoznania, po to by wziąć odpowiedzialność za swoje życie, by odżywiać się zgodnie z potrzebami własnego ciała i poznać swoje rzeczywiste potrzeby dotyczące jedzenia. Wybierz z tego, co tu przeczytałeś i zastosowałeś w praktyce, te sposoby działania, które są ci najbliższe.

Planując miejsce, czas, wielkość, skład swoich posiłków, wprowadzasz porządek do swojego życia. Zastępujesz dotychczasową przypadkowość w tym zakresie dyscypliną i ładem. Słowo „dyscyplina" w sytuacji zmiany zachowań jest bardzo istotne, a pochodzi z łac. *disciplina* i oznacza: uczenie, nauczanie, wiedzę. Jeśli należysz do ludzi, którzy mają lub kiedyś mieli psa czy też inne zwierzę, to zdyscyplinowane zachowania nie są ci obce. Każdy odpowiedzialny właściciel wyprowadza psa na spacer przynajmniej trzy razy dziennie, niezależnie od warunków atmosferycznych. Po prostu idzie się z psem na spacer. Gdy robisz coś regularnie bez względu na to, czy czerpiesz z tego przyjemność czy nie, to znaczy, że jesteś zdyscyplinowany. Nie musisz się uczyć tej umiejętności. Wystarczy ją zastosować także w innych dziedzinach życia, czyli np. w procesie budowania swojego wewnętrznego diet coacha, w sytuacji gdy zaczynasz iść krok po kroku w kierunku mety. Wszystko to, co związane jest z jedzeniem i pojawi się w ciągu dnia, a nie jest przez ciebie zaplanowane, cię NIE INTERESUJE. Takie zdarzenia po prostu ciebie nie dotyczą.

Odpowiednia wielkość porcji

Kolejny aspekt odżywiania dla zdrowia związany jest z wielkością porcji. Pisałam już o tym, byś określił wielkość porcji tak, by się najeść, ale nie przejeść. Główne posiłki powinny być dobierane tak, byś przez ok. 4 godziny nie odczuwał głodu. Pamiętaj, że mówię tu o żywności mającej wartości odżywcze, a nie tzw. puste kalorie, jak w przypadku ciastek, słodyczy, wysoko przetworzonej żywności. Są osoby, które mają trudność z zaprzestaniem dokładania sobie na talerz potraw, gdy widzą dużo jedzenia dookoła. Sprawdź, jak jest z tobą. Jeśli wiesz, jaka porcja jest dla ciebie wystarczająca, zadecyduj, by najpierw ją zjeść. Nie nakładaj bezmyślnie na talerz, pamiętaj, że nie jesz oczami, nie musisz zjeść wszystkiego, co sobie nałożyłeś. Jesz taką porcję, która zapewni ci odpowiednią dla ciebie ilość kalorii, a nie spowoduje przejedzenia.

Zapamiętaj

> Zaproś swoich najlepszych przyjaciół i zaproponuj, by wszyscy zjedli swoje porcje z zawiązanymi oczami. Zrób obiad taki, jaki lubisz ty i twoi goście, np.: potrawkę z warzyw i fasoli. Smakujcie, degustujcie potrawę, jedzcie ją powoli, dokładnie przeżuwając. Dzielcie się swoimi spostrzeżeniami na temat smaku, zapachu, wrażeń związanych z sytością. Kiedy każdy już będzie się czuł najedzony, niech przerwie jedzenie, rozwiąże oczy i zobaczy, czy i ile z porcji zostało na talerzu. Omówcie, jak każdy z was czuł się w trakcie takiego posiłku z zawiązanymi oczami.

Skonfrontuj wynik tego ćwiczenia z wielkością porcji, którą zwykle zjadasz. Jeżeli jest ona znacznie większa, to zacznij stopniowo określać jej wielkość. Na początek zjedz połowę porcji i zauważ, kiedy pojawią się pierwsze oznaki głodu. Czy odczuwasz głód po godzinie, a może dwóch, trzech? Jeśli pojawi się on po godzinie, to następnym razem zwiększ swoją porcję do 3/4 tej początkowej. Takie eksperymenty nauczą cię określać wielkość porcji przy pomocy sygnałów płynących z ciała, co sprawi, że z tej wiedzy będziesz korzystał zawsze i w każdych okolicznościach. Wielu moim klientom ten sposób określania wielkości porcji pomógł w zmianie przekonania, że warzywami i fasolą nie można się najeść, a jedyny „porządny" posiłek to mięso, kartofle lub biały ryż i trochę surówki.

Kiedy próbujesz nowych potraw, zaczynasz być ciekawy nowych smaków i zapachów, jakie dają naturalne przyprawy i naturalna zdrowa żywność. Jeśli upieczesz swój własny chleb na naturalnym zakwasie, poczujesz, jak pachnie cały twój dom. Jedząc go, powoli wyczujesz naturalną słodycz, zauważysz, że po takim chlebie nie masz wzdęć i że smakuje on zupełnie inaczej. Chleb możesz zrobić tylko wtedy, gdy rzeczywiście tego chcesz. Przygotowanie ciasta według przepisu zamieszczonego w poradniku trwa 15 min, a pieczenie zajmuje maksymalnie 1,5 godziny.

Zapamiętaj

Poczucie sytości

Bardzo ważną rzeczą związaną z poznaniem swoich potrzeb żywieniowych jest wybór takiej żywności, która będzie cię sycić. Badania naukowe potwierdzają, że dominującym składnikiem posiłków, po których czuje się sytość, jest błonnik (warzywa korzeniowe, liściaste i owoce) i białko roślinne (warzywa strączkowe), węglowodany występujące w pełnych ziarnach, takich jak: brązowy ryż, owies, żyto, proso itp., makaron, chleby i kasze z nierafinowanych pełnych zbóż oraz niewielka ilość tłuszczu. Niemniej to ty sam masz za zadanie określić żywność, która po zjedzeniu zapewni ci sytość i dobre samopoczucie.

Objadanie się i zamienniki

Szczególnie istotne jest to, by uważać na ilość tłuszczu, cukru i soli. Te dodatki do żywności powodują większy apetyt. Niezdrowe połączenia tłuszczu, cukru i soli występują powszechnie w fast foodach i żywności wysoko przetworzonej. Produkty spożywcze mają w swoim składzie tak dobrane ilości cukru, soli i tłuszczu, by pobudzać apetyt i aktywować tzw. ośrodek nagrody w mózgu. Dlatego też trudno jest powiedzieć sobie

„stop", gdy spożywa się taką żywność. I nie jest to twoja wina. Dr David Kessler radzi, by w takich sytuacjach zmienić sposób, w jaki patrzy się na żywność. A mianowicie, jeżeli skupisz swoją uwagę na tym, że to, co jesz, ma posiadać wartość odżywczą, czyli dostarczać twojemu ciału witamin, minerałów, niezbędnych aminokwasów i antyoksydantów, to istnieje możliwość, że na ulubione do tej pory chrupki czy chipsy popatrzysz inaczej.

Zapamiętaj

> Te produkty, w których skład wchodzi przede wszystkim sól, cukier i tłuszcz w różnych kombinacjach, działają na ciebie uzależniająco.

To reakcje zachodzące w mózgu powodują swoisty ciąg do jedzenia. Często jest tak, że postanawiasz, iż od dziś nie jesz słodyczy, natomiast efekt takich mocnych postanowień jest często dla ciebie katastrofalny. Im bardziej sobie odmawiasz określonego jedzenia, tym bardziej zwracasz na nie uwagę i w rezultacie spożywasz go więcej. W takich sytuacjach warto poszukać kilku zamienników (o których pisałam w rozdziale 2), które mają wyższą wartość odżywczą i mniej kalorii. Będą to wszelkiego rodzaju koktajle warzywne lub owocowe[63].

Wskazówka

> **Zniechęcanie się**
>
> Ważnym krokiem w walce z objadaniem się jest zniechęcanie się do tzw. śmieciowej żywności. Jeśli masz chęć, by zjeść np. hot doga lub kolejne ciasteczko w czekoladzie, możesz przypomnieć sobie skład tych produktów i powiedzieć sobie: „Tak naprawdę to obrzydliwe, nie będę tego jadł". Postępując w taki sposób, możesz przejąć władzę nad żywnością. Zmienisz sposób odbierania bodźca i jednocześnie nauczysz się nowych zachowań. W trakcie wprowadzania zmian daj sobie czas, przynajmniej 4–8 tygodni. Wytrwałość i cierpliwość są tu bardzo pomocne. Nie oznacza to, że pozbędziesz się od razu starych nawyków i przyzwyczajeń. Masz jednak szansę na zapanowanie nad niekontrolowanym objadaniem się. Taką szansę możesz dać sobie sam, decyzja należy do ciebie. Wykonanie też.
>
> Istotne jest też, byś zauważył:
>
> > Co jesz wtedy, kiedy się objadasz?
>
> > Czy to, co jesz, jest rzeczywiście żywnością, a więc czy dostarcza twojemu ciału składników odżywczych, a tobie energii do działania, czy też jest to produkt, który tylko wygląda jak żywność?

Bodźce aktywujące twój apetyt

Podstawą nieobjadania się jest zidentyfikowanie bodźców, które powodują objadanie się. Każdy z nas skupia swoją uwagę na bodźcach, które są dla niego istotne. Dla wielu z nas takim bodźcem jest żywność, i to niezależnie od wagi ciała. Mam tu na myśli zarówno osoby otyłe, z nadwagą, jak i zdrowe. Jedzenie bowiem uruchamia obwody nerwowe w mózgu, które napędzają zachowanie takie jak objadanie się. Stwierdzono, że żywność, która aktywuje taką pracę mózgu, zawiera przede wszystkim cukier, tłuszcz i sól w odpowiednich ilościach. Producenci żywności tak wymyślają receptury, by produkty pobudzały apetyt. Jeśli sprawdzisz skład produktów, których używasz, a które mogą należeć do grona twoich ulubionych, możesz zauważyć, że np. sos do makaronu zawiera tyle samo cukru, co sos czekoladowy. Tego nie poczujesz, bo odpowiednio duża ilość soli niweluje słodki smak. Taki skład jest po to, byś przyzwyczaił się do dużej ilości cukru i żeby po pierwsze inny sos ci nie smakował, a po drugie aby twoja chęć jedzenia sosu i makaronu wzrastała. Zauważ, że podobnie działają narkotyki – osoba uzależniona, by polepszyć swój nastrój, musi otrzymywać coraz większe dawki.

Kluczową rolę w uzależnieniach, zarówno od narkotyków, nikotyny, jak i jedzenia, odgrywają tzw. neuroprzekaźniki: serotonina, dopamina, noradrenalina wytwarzane w mózgu, w układzie limbicznym. Jeśli jesteś zdrowy, to masz odpowiedni poziom neuroprzekaźników. Przykładowo osoby chore na depresję mają obniżony poziom serotoniny. Dopamina związana jest z systemem nagród i motywacji, odpowiada za odczuwanie przyjemności, pamięć, uczenie się oraz aktywność. Jej niski poziom powoduje obniżenie odczuwania przyjemności, gorsze zapamiętywanie i uczenie się oraz zaburzenia snu, a także zwiększa stres. Jej właściwy poziom wpływa na zwiększenie zdolności podejmowania decyzji oraz kontroli nad pragnieniami.

W wielkim uproszczeniu mechanizm uzależnień polega na potrzebie uzupełnienia czy podwyższenia poziomu neuroprzekaźników, tak by dla twojego organizmu był on właściwy. Dlatego, by poprawić sobie nastrój, sięgasz po jedzenie lub używki, które pobudzają uwalnianie dopaminy. Gdy jesz coraz więcej produktów bogatych w cukier, tłuszcz i sól, zapewniasz sobie poziom dopaminy, który odczuwasz jako przyjemność. Stwierdzono, że mózgi ludzi otyłych i narkomanów wyglądają podobnie, a mianowicie mają mniej receptorów dopaminowych w porównaniu z osobami zdrowymi. Badania przeprowadzone w Brookhaven National Laboratory pokazują pewne nieznaczne różnice pomiędzy osobami otyłymi a otyłymi nałogowo się objadającymi. Widok lub zapach ulubionych potraw u osób nałogowo objadających się powoduje nagły wzrost poziomu dopaminy. Wyniki opublikowane w czasopiśmie

„Obesity" sugerują, że skok dopaminy może wpływać na tzw. obsesyjne objadanie się. Wyniki badań przedstawiają dopaminę jako neuroprzekaźnik nerwowy, który stymuluje mózg do szukania nagrody i obsesyjnego objadania się.

Aby utrzymać właściwy poziom dopaminy, jedz:

> Banany – na końcu poradnika znajdziesz przepisy na pyszne i zdrowe shaki bananowe. Są one bogate m.in. w chininę dopaminową – naturalnie występującą formę dopaminy. To właśnie brązowe miejsca w bananie wskazują na największe ilości dopaminy.

> Warzywa i owoce (zielone warzywa liściaste, jagodowe, latem arbuz, fasole, soczewicę, awokado itd.), ponieważ bogate są one w przeciwutleniacze. Działają ochronnie na organizm atakowany przez wolne rodniki, które zmniejszają poziom dopaminy. Są źródłem witamin, w tym C, E , z grupy B; kwasu foliowego, karotenu, choliny, wapnia i tyrozyny.

> Ziarna sezamu, słonecznika, dyni i orzechy: włoskie, laskowe, jak również kiełki – źródło kwasów tłuszczowych omega-3, cynku, żelaza, magnezu i witaminy E.

> Rośliny strączkowe: fasole, soczewicę, ciecierzycę, bób, groch – dobre źródło białka, żelaza, selenu, kwasu foliowego i tyrozyny.

> Chleb z pełnego ziarna na zakwasie – dobre źródło choliny, tyrozyny, witamin z grupy B i cynku.

> Ryby i owoce morza: krewetki, tilapię, flądry, łupacza, przegrzebki, kałamarnice, pstrągi, morszczuki, karmazyny – źródło kwasów tłuszczowych omega-3, witaminy E, selenu i białka.

> Zwierzęce: chudą wołowinę: źródło tyrozyny, witamin z grupy B i żelaza i jajka „zerówki": źródło witaminy B i choliny.

> Wyklucz ze swojej diety cukier i tłuszcze nasycone – głównie zwierzęce.

> Ogranicz lub wyklucz spożycie kawy, alkoholu i tytoniu.

Zapamiętaj

Tracisz kontrolę nad jedzeniem, gdy traktujesz je jako nagrodę, ponieważ:

1. Z reguły wtedy jesz żywność bardzo smaczną według własnej subiektywnej oceny.

2. Jedząc taką żywność, nie odczuwasz sytości.

3. Między posiłkami myślisz o tym, jaką żywność zjesz w nagrodę, masz

zaplanowane w pamięci miejsce, porę dnia i wszystko, co wiąże się z nagrodą, a więc widok, zapach, skład ulubionej potrawy.

4. Wyuczone w przeszłości sygnały łączysz z doświadczeniem nagrody: są to nawyki, bodźce, namowy, emocje, poczucie głodu.

5. Pamięć o tym, co jadłeś, pozwala ci przewidzieć nagrodę, pojawiają się wtedy myśli związane z pragnieniami – pragnieniem zjedzenia określonej potrawy i przyjemnością z tym związaną.

6. Gdy zaczniesz jeść żywność, która aktywuje obszary w mózgu związane z wywołaniem pragnienia, to raz aktywowane obszary nie wyłączają się tak łatwo. Żywność, która potem kieruje tobą, zawiera cukier, sól i tłuszcz.

Jak unikać jedzenia produktów uzależniających?

1. Unikaj bodźców, czyli jedz posiłki zaplanowane o wyznaczonych porach, uważnie przeżuwając. Nie spiesz się, przeznacz co najmniej 15–20 minut na posiłek.

2. Unikaj poczucia straty.

3. Rozwijaj własne zasady poprzez obserwację swoich zachowań i reakcji swojego ciała na określone pokarmy.

4. Wykorzystaj swoją wiedzę o żywności i żywieniu tak, by wyeliminować żywność śmieciową, a jeść tę prawdziwą.

5. Zmień znaczenie bodźców bądź sygnałów, które powodowały traktowanie jedzenia jako nagrody.

6. Opracuj dla siebie alternatywne nagrody niezwiązane z jedzeniem.

Kolejne punkty pomagające ci przywrócić kontrolę nad jedzeniem dopisz sam:

7. ....
....

8. ....
....

9. ....
....

10. ....
....

11. ....
....

12. ....
....

Jeśli zrozumiesz, że problemy z jedzeniem związane są również z aktywacją określonych reakcji w mózgu, na które bezpośredni wpływ ma żywność, którą zjadasz, to
możesz rozpocząć działania zmierzające ku zmianie. W przywróceniu kontroli nad
ilością i jakością spożywanej żywności ogromną rolę odgrywają twoje przekonania
i wzięcie odpowiedzialności za to, co jesz. Wyruszając w podróż kształtowania swojego wewnętrznego diet coacha, odkryjesz wiele różnych prawd o sobie.

Twoim zadaniem jest również dążenie do osiągnięcia takiego stanu, w którym poczujesz, że jesteś lepiej dostosowany do świata. Może zaczniesz też dostosowywać
świat do siebie. Rozwijając wewnętrznego diet coacha, masz możliwość wzięcia życia
w swoje ręce.

Najważniejsze, byś zaczął się troszczyć o siebie. Dbając o swoje zdrowie, ciało, o to,
co, jak i kiedy jesz, uczysz się, jak kochać samego siebie.

Podsumowanie

Jeżeli przeczytałeś cały poradnik, wiesz, co robić, by jeść i żyć świadomie. Jedzenie bowiem jest nierozerwalnie związane z naszym stylem życia. Kondycja fizyczna i psychiczna człowieka jest ściśle zależna od tego, co, jak, kiedy, po co, gdzie i z kim je. Pewnie znałeś wiele porad, które tu przedstawiłam, jednak z ich wdrożeniem w codzienne życie było ci już znacznie trudniej. Program budowania wewnętrznego diet coacha polega na zbieraniu przez ciebie, krok po kroku, doświadczeń związanych z jedzeniem. Systematyczne działanie jest jednym z filarów procesu zmiany. Podążasz do celu, idąc swoją drogą. Wszystkie twoje obawy związane ze zmianą są zupełnie naturalne. Niemniej świadome działanie powoduje, że zaczynasz widzieć i czuć, jak nowe zachowania zaczynają ci służyć. Tworzenie nowego, innego stylu życia zaczyna przynosić wymierne korzyści. Przede wszystkim masz więcej energii, wiesz, jak sobie radzić z emocjami bez jedzenia, wzrasta twoje poczucie własnej wartości, pozytywne myślenie jest niezwykle skuteczne, a spódnica czy spodnie stają się luźniejsze. Gdy czujesz się dobrze ze sobą, to jedzenie staje się prawdziwą przyjemnością, a nie przykrym obowiązkiem. Znając siebie, wybierasz z wielkiej obfitości produktów żywnościowych to, co ci służy, czyli odżywia, dając energię i chęć do działania oraz wspaniałe samopoczucie. Jeśli stosujesz zasady wewnętrznego diet coachingu, wyglądasz młodo, utrzymujesz stałą wagę, jesteś zdrowy i pełny energii. Postępując zgodnie z określonymi przez siebie normami, masz możliwość oceniania, czy zakończone zadanie zostało dobrze wykonane, a koncentrowanie się na tym, co robisz, sprzyja ugruntowaniu nowych zachowań. W ten sposób powoli, krok po kroku, chwila po chwili, zaczynasz panować nad sytuacją, odpowiednio wykorzystując swoje umiejętności.

Życzę ci, by twój nowy styl życia stał się twoją pasją i by dawał ci wiele radości.

Poniżej **9 podstawowych kroków w diet coachingu**:

1. Zrób analizę aktualnego sposobu odżywiania i stylu życia.
2. Nazwij osobiste cele.
3. Zarządzaj swoim apetytem – bądź uważny.
4. Określ swoje aktywatory zdrowego świadomego jedzenia: ludzi, miejsca, myśli.

5. Nadzoruj swoje postępy – obserwuj zmiany: w diecie, w myśleniu o sobie, w zachowaniu, w ciele, w trakcie ćwiczeń.

6. Zbuduj swoją grupę wsparcia (rodzina, przyjaciele, znajomi).

7. Zadbaj o profesjonalne wsparcie (diet coach, trener fitness, lekarz, psychoterapeuta).

8. Stwórz swój program odżywiania dla zdrowia.

9. Uwierz w siebie – to ty decydujesz, postanawiasz, wybierasz.

Wskaźnik rozmieszczenia tkanki tłuszczowej – WHR

Wskaźnik WHR (*Waist to Hip Ratio*) – jest wyznacznikiem określającym typ otyłości: gruszka lub jabłko, przedstawia stosunek obwodu talii do obwodu bioder. Obliczamy go, dzieląc obwód talii (cm) przez obwód bioder (cm).

Otyłość typu „gruszka", pośladkowo-udowa, czyli obwodowa, gromadząca się na biodrach i udach. Spotykana najczęściej u kobiet.

Wskaźnik WHR wynosi:

> poniżej 0,8 u kobiet,

> poniżej 1,0 u mężczyzn.

GRUSZKA narażona jest na schorzenia układu kostno-stawowego kończyn dolnych i dróg żółciowych. Nadmierna masa ciała powoduje nadmierne obciążenia i uszkodzenia mechaniczne stawów, szczególnie kolanowych, biodrowych oraz kręgów. Osoby z otyłością udowo-pośladkową narażone są na powstawanie żylaków podudzia ze względu na gorszy przepływ krwi w kończynach dolnych. Mają problemy z kamieniami żółciowymi ze względu na większą procentową zawartość kwasów tłuszczowych, cholesterolu i kwasów żółciowych w żółci.

Otyłość typu „jabłko", brzuszna, zwana centralną, gromadząca się na brzuchu. Bardziej predysponowani są mężczyźni.

Wskaźnik WHR wynosi:

> równy lub wyższy od 0,8 dla kobiet,

> równy lub wyższy od 1,0 u mężczyzn.

JABŁKO narażone jest na zaburzenia metaboliczne związane ze wzrostem poziomu cholesterolu, glukozy, co z kolei prowadzi do choroby niedokrwiennej serca, udaru mózgu oraz rozwoju cukrzycy typu 2. Otyłość brzuszna jest znacznie groźniejsza w skutkach u mężczyzn, ponieważ testosteron nasila insulinooporność, natomiast u kobiet estrogeny ją osłabiają. U kobiet w okresie pomenopauzalnym nasila się otyłość brzuszna, ponieważ ustaje produkcja żeńskich hormonów płciowych.

Równanie do obliczenia podstawowej przemiany materii PPM (kcal) na podstawie masy ciała W=KG

PPM – oznacza najniższy poziom energii w organizmie człowieka – pozostającego w warunkach zupełnego spokoju fizycznego, psychicznego, na czczo oraz w optymalnym mikroklimacie (temperaturze i wilgotności powietrza) – potrzebny do podstawowej przemiany materii[64].

Przykład: PPM dla kobiety: wiek 38 lat, waga 56 kg:

stosujemy wzór: PPM = 8,7W + 829,

czyli: PPM = 8,7 x 56 kg + 829 = 487,2 + 829 = 1316,2 kcal

Mężczyźni		Kobiety	
Wiek (lata)	Przemiana podstawowa	Wiek (lata)	Przemiana podstawowa
0–3	60,9W – 54	0–3	61,0W – 51
3–10	22,7W + 495	3–10	22,5W + 499
10–18	17,5W + 651	10–18	12,2W + 746
18–30	15,3W + 679	18–30	14,7W + 496
30–60	11,6W + 879	30–60	8,7W + 829
>60	13,5W + 478	>60	10,5W + 596

Przepisy

Owsianka (1 porcja)

Składniki:

> 1 szklanka wody
>
> 2 czubate łyżki płatków owsianych
>
> opcjonalnie 1 posiekana figa lub 1 łyżeczka rodzynek
>
> szczypta cynamonu
>
> szczypta soli

Zagotuj 1 szklankę wody i dodaj posiekaną figę lub łyżkę rodzynek. Zamieszaj i po chwili dorzuć 2 czubate łyżki płatków owsianych. Gotuj na małym ogniu ok. 15–20 minut, ciągle mieszając. Na koniec, jeśli lubisz, dodaj cynamon oraz szczyptę soli.

Naleśniki z sałaty, masła orzechowego i bananów (2 porcje)

Składniki:

> 4 łyżki masła orzechowego
>
> liść sałaty (może być rzymska)
>
> 2 banany, pokrojone w cienkie plasterki

Posmaruj umyty liść sałaty łyżeczką masła orzechowego, a następnie połóż kilka plasterków banana i zawiń tak jak naleśniki.

Zupy

Zupa miso[65] (3–4 porcje)

Składniki:

> 4 szklanki wody
> 4 cm suszonego glonu wakame (moczony 5 minut i pokrojony w drobne kawałki)
> 1 łyżka miso jęczmiennego lub ryżowego rozmieszanego w wodzie
> siekany szczypiorek

Wrzuć do gotującej się wody wakame i gotuj 1–2 minuty. Zmniejsz płomień i dodaj rozmieszane w wodzie miso. Całość krótko (3–4 minuty) podgrzewaj na małym ogniu. Podawaj posypane szczypiorkiem.

Inne warianty:
Możesz też dodać kilka kawałeczków pokrojonego sera tofu (wolnego od GMO).

Zupa z soczewicy[66] (6–8 porcji)

Składniki:

> 1 szklanka czerwonej soczewicy
> 1/4 szklanki oliwy z oliwek z pierwszego tłoczenia na zimno
> 1–2 posiekane cebule
> 1–2 ząbki czosnku
> 5 świeżych pomidorów (zimą z puszki; niskosolone, ilość sodu: 300 mg = 0,3 g)
> 2,5 l wody
> 2 łodygi kopru (opcjonalnie)
> 1 łodyga mięty (zimą mięta suszona)
> pół łyżeczki imbiru w proszku lub kilka kawałeczków świeżego
> pół łyżeczki mielonej gałki muszkatołowej
> 1 łyżeczka oregano, bazylia, sól, pieprz

Rozgrzej w garnku oliwę, podsmaż cebulę, dodaj umytą soczewicę i czosnek. Podgrzewaj ok. 5 minut na niewielkim ogniu, ciągle mieszając. Pomidory sparz i obierz ze skórki, pokrój w cząstki, wrzuć do soczewicy i duś przez chwilę. Zalej wodą, dodaj zioła i przyprawy i gotuj, aż soczewica będzie miękka, ale nierozgotowana. Podawaj w miskach z ciemnym pieczywem lub samą.

Zupa z soczewicy z imbirem[67] (6–7 porcji)

Składniki:
> 1,5 l soku z marchwi
> 1 l wody
> 1 szklanka soczewicy (suchej)
> pół szklanki nieugotowanego brązowego ryżu
> 2 cukinie pokrojone w drobną kostkę
> 1 czerwona papryka, drobno pokrojona
> 1 cebula, drobno pokrojona
> 6 ząbków czosnku, posiekanych lub wyciśniętych
> 3 łyżki startego świeżego imbiru lub kawałek imbiru pokrojonego w cienkie plasterki
> 1 łyżeczka suszonej kolendry
> pół łyżeczki kminu
> 2–4 ziarna ziela angielskiego
> pół pęczka posiekanej, zielonej pietruszki

Wrzuć wszystkie składniki, z wyjątkiem pietruszki, do garnka. Zalej wodą i sokiem z marchwi, doprowadź do wrzenia i gotuj przez 40 minut. Podawaj z posiekaną pietruszką.

Francuska zupa z groszku[68] (3 porcje)

Składniki:
> 300 g mrożonego zielonego groszku
> 1 mała cebula, posiekana
> 1 duży ząbek czosnku, posiekany
> pęczek świeżej mięty lub 10 liści suszonej

> 3 szklanki wody
> 3 daktyle bez pestki
> pół szklanki posiekanych orzechów nerkowca
> 4 łyżeczki soku z cytryny
> 250 g baby szpinaku
> 2 łyżki posiekanego, zielonego szczypiorku

Duś groszek, cebulę, czosnek i miętę przez 7 minut w wodzie, a następnie zmiksuj blenderem. Dodaj daktyle oraz orzechy i rozdrabniaj, aż całość osiągnie kremową konsystencję. Do gorącego kremu dodaj szpinak. Podawaj posypane świeżym szczypiorkiem.

Szybka zupa krem z warzyw i fasoli[69] (8 porcji)

Składniki:

> 0,8 l organicznego przecieru z pomidorów
> 1 główka brokułu (lub połówka)
> 2 szklanki soku z marchwi
> 2 posiekane cebule
> 4 puszki białej fasoli (niesolonej)
> 3 świeże pomidory
> 1 pęczek świeżej bazylii
> pół szklanki prażonych orzechów nerkowca
> pół szklanki orzechów piniowych

Opłucz w wodzie fasolę przed włożeniem do garnka. W garnku wymieszaj wszystkie składniki z wyjątkiem orzechów. Duś pod przykryciem ok. 40 minut. 1/4 wywaru zmiksuj w blenderze razem z orzechami nerkowca. Zmiksowaną zupę wlej z powrotem do garnka. Serwuj posypaną orzechami piniowymi.

Zupa pomidorowo-warzywna (4–6 porcji)

Składniki:

> 2–3 średnie marchewki
> 1 korzeń pietruszki

> pół selera

> kilogram pomidorów

> 2,5 l wody

> natka zielonej pietruszki lub inne zioła

> 2–3 łyżki oliwy z oliwek

Rozgrzej w garnku oliwę, dodaj warzywa utarte w mikserze na dużych oczkach bądź pokrojone w słupki. Smaż na niewielkim ogniu, ciągle mieszając. Następnie dorzuć obrane ze skórki i pokrojone pomidory. Wszystko razem duś przez ok. 5–6 minut. Potem dolej ok. 2,5 l wody lub mniej w zależności od tego, jak gęstą zupę chcesz uzyskać. Gotuj 15–20 minut, dopraw małą ilością soli, pieprzem lub ziołami, np. bazylią. Chwilę pogotuj i przed wyłączeniem lub podaniem posyp zieloną pietruszką.

Zupa ogórkowo-warzywna (4–6 porcji)

Składniki:

> 2–3 średnie marchewki

> 1 korzeń pietruszki

> pół selera

> 500–600 g kwaszonych ogórków

> 2,5 l wody

> natka zielonej pietruszki lub inne zioła

> 2–3 łyżki oliwy z oliwek

> oregano, majeranek, liść laurowy, pieprz

W garnku rozgrzej oliwę. Wsyp na nią warzywa utarte malakserem na dużych oczkach bądź pokrojone w słupki. Smaż na niewielkim ogniu, ciągle mieszając. Wszystko razem duś przez ok. 5–6 minut. Potem dolej ok. 2,5 l wody lub mniej w zależności od tego, jak gęstą zupę chcesz uzyskać. Zagotuj całość. Następnie dodaj utarte kwaszone ogórki. Dopraw. Gotuj na małym ogniu ok. 15–20 minut. Przed podaniem posyp zieloną pietruszką.

Bulion z kombu i shitake[70] **(3–4 porcje)**

Składniki:

> 4–10 suszonych grzybów shitake

> kawałek kombu, ok. 8 cm

> 4 szklanki wody

> naturalny sos sojowy do smaku

Włóż kombu i grzyby shitake do wody, doprowadź całość do wrzenia i gotuj ok. 15–20 min. Wyjmij kombu. Możesz je ponownie użyć do gotowania fasoli lub warzyw. Wyjmij grzybki, usuń twardą część nóżek, pokrój w paseczki i wrzuć ponownie do wywaru. Dodaj sos sojowy do smaku. Bulion jest gotowy. Możesz do niego dodać warzywa – np. utarty korzeń białej rzodkwi lub rzepy, gotowany brązowy ryż, imbir.

Potrawy z tofu

Tofu z sosem sojowym i imbirem[71] **(4 porcje)**

Gdy kupujesz tofu, sprawdź, czy nie zawiera soi GMO.

Składniki:

> 300 g sera tofu pokrojonego na 4 plastry

> 3 łyżki sosu sojowego

> imbir, starty lub pokrojony w cienkie plastry

> pół łyżki oleju sezamowego (możesz zastąpić go innym wysokogatunko-
> wym olejem lub oliwą)

> szczypiorek do dekoracji

Wymieszaj wszystkie składniki i przełóż na patelnię. Przykryj pokrywką i duś na małym ogniu przez 2–3 minuty, po czym przełóż tofu na drugą stronę i znowu duś 1–2 minuty. Podawaj gorące, posypane szczypiorkiem.

Jajka z tofu i salsą[72] (3 porcje)

Składniki:

> pół średniej cebuli, drobno posiekanej
> 1 średnia cukinia, starta na tarce
> 1 starta marchew
> 250 g posiekanego szpinaku
> pół średniego pomidora, obranego ze skórki
> 2 ząbki czosnku, wyciśnięte
> 2 łyżeczki ziół prowansalskich (lub tych, które lubisz)
> 300 g tofu, pokrojonego w kostkę
> 1/8 łyżeczki curry
> 6 dużych jaj (klasa 0)
> 1/4 szklanki salsy (niskosodowej)
> 6 pełnoziarnistych tortilli

Wrzuć tofu do roztrzepanych jajek i wymieszaj. Warzywa obierz ze skórki i duś tak długo, by przestały być wodniste. Dodaj jajka do tofu i smaż, aż jajka się zetną. Można podawać z salsą i tortillą.

Potrawy z warzyw

Blanszowane brokuły lub inne warzywa z sosem z tahini lub z sosem z masła orzechowego[73] (1–2 porcje)

Składniki:

> 1 średniej wielkości brokuł pokrojony w duże kawałki, ugotowany na parze lub wodzie, tak by był al dente (do wody dodaj szczyptę soli morskiej)

Sos z tahini:

> 2 łyżki stołowe białego tahini
> 2 łyżki stołowe soku z cytryny
> 2 łyżki stołowe mirinu (słodkie wino ryżowe)
> sól do smaku

Wymieszaj wszystkie składniki. Jeśli masa jest zbyt gęsta, można ją rozcieńczyć wodą. Sosem polej brokuły lub inne warzywa przed podaniem.

Sos z masła orzechowego:

> 2 łyżki masła orzechowego
> 1 łyżka (lub mniej) sosu sojowego
> troszkę ostrej papryki lub pieprzu (opcjonalnie)
> woda (dla otrzymania odpowiedniej konsystencji sosu)

Po wymieszaniu składników sosu całość wlej do rondelka i podgrzewaj, po czym polej brokuły lub inne warzywa.

Sałata ze świeżych warzyw (1–3 porcje)

Składniki:

> 1 duża sałata rzymska
> 3 średnie pomidory
> 1 zielony ogórek
> po pół szklanki oliwek zielonych i czarnych (bez pestek)
> 2 szalotki
> świeże kiełki (lucerny lub inne)
> świeże zioła (bazylia, zielona pietruszka)

Dokładnie umyj sałatę, zioła i kiełki. Sałatę rozdrobnij na mniejsze kawałki. Pokrój pozostałe warzywa, z ogórków wytnij środki z pestkami, przygotuj sos.

Sos:

> sok z cytryny
> 3 łyżki oliwy z oliwek
> kilka kropli oleju sezamowego
> 1 łyżka octu balsamicznego
> pieprz i sól
> 3 łyżki wody
> pół łyżeczki naturalnego miodu (opcjonalnie)

Dodaj sos do warzyw, wymieszaj, posyp uprażonymi pestkami z dyni i podaj od razu po przygotowaniu.

Sałata z marchewki i rodzynek[74] (2 porcje)

Składniki:

> 8 średnich marchewek
> pół szklanki rodzynek
> 2 łyżki soku wyciśniętego z pomarańczy
> szczypta cynamonu

Zetrzyj marchewkę na tarce, dodaj rodzynki, sok pomarańczy i dopraw cynamonem.

Humus z bakłażana i cieciorki[75] (4 porcje)

Składniki:

> 1 średni bakłażan, przekrojony na pół
> 1 szklanka ugotowanej cieciorki (może być też niskosolona lub niesolona cieciorka z puszki; jeżeli jest w postaci nieprzetworzonej, to trzeba ją najpierw namoczyć na 10–12 godzin – można to zrobić rano, a po przyjściu z pracy gotować ok. 1 godziny)
> 1/3 szklanki wody
> 4 łyżki niełuskanych nasion sezamu
> 2 łyżki soku z cytryny
> 4 ząbki (duże) czosnku
> szczypta suszonej ostrej papryki; pietruszka do dekoracji

Włóż bakłażana do naczynia żaroodpornego i zapiekaj w piekarniku nagrzanym do 180°C przez 45 minut. Po ostudzeniu obierz, pokrój w kostkę i wrzuć do miski. Dodaj cieciorkę, sezam oraz czosnek i zmiksuj za pomocą blendera. Dolej wody i dokładnie wymieszaj. Dopraw cytryną, papryką i posyp pietruszką.

Rodzynkowy coleslaw[76] (6 porcji)

Składniki:

> pół szklanki rodzynek
> pół szklanki soku jabłkowego
> 1–2 ugotowane ziemniaki
> 1 łyżeczka musztardy
> 1 łyżka soku z cytryny
> pół małej główki kapusty, startej lub cienko pokrojonej
> 2 średniej wielkości starte marchewki
> 1–2 obrane i starte jabłka
> 3 drobno pokrojone cebule dymki

Zmiksuj blenderem rodzynki, sok jabłkowy, ziemniaki, musztardę i sok z cytryny. Płynne składniki dodawaj powoli i w takich ilościach, by otrzymać gęsty sos. Wymieszaj resztę składników i dodaj gęsty sos. Opcjonalnie sałatkę można uzupełnić o 1–2 starte ugotowane al dente buraki.

Potrawy z fasoli, ryżu i kaszy

Sałatka z fasoli

Możesz wykorzystać zarówno białą drobną fasolę, jak i adzuki, czarną lub czerwoną.

Składniki:

> fasola (2 garści na 1 osobę)
> 1 czerwona cebula pokrojona w cienkie pióra
> 1–2 łodygi selera naciowego
> kilka czarnych oliwek bez pestek
> zmiażdżony ząbek czosnku
> sok z cytryny do smaku
> 1 łyżka oliwy z oliwek lub olej lniany budwigowy
> posiekana natka pietruszki lub kopru

Namocz fasolę na noc w zimnej wodzie. Odlej ją rano, a fasolę zalej świeżą wodą. Dodaj kawałek kombu (wielkości średniego znaczka pocztowego – dla porcji na 4 osoby) i gotuj do miękkości. W zależności od gatunku fasoli czas gotowania waha się między 40 a 60 minut. Gdy fasola będzie miękka, odlej wodę. Włóż fasolę do miski i wymieszaj z pozostałymi składnikami. Przed podaniem niech postoi przez 10–15 minut, by smaki się wymieszały.

Risotto z warzywami i grzybami shitake[77] (4 porcje)

Składniki:

> szklanka ugotowanego brązowego ryżu

> 8–10 grzybów shitake (namocz je w 1 kubku wody przez ok. 30 minut, usuń twardą część nóżki i pokrój w paseczki; nie wylewaj wody z moczenia grzybów)

> 1–2 pokrojone kopry włoskie (fenkuły)

> 1 pokrojona marchewka

> 4 suszone pokrojone pomidory

> 1 łyżka oliwy z oliwek lub olej lniany budwigowy

> sól lub sos sojowy do smaku

> natka pietruszki

Wlej oliwę na patelnię. Podsmażaj koper włoski i marchewkę na małym ogniu do momentu, aż poczujesz słodki zapach. Wtedy dodaj shitake, suszone pomidory i chwilę podgrzewaj. Następnie wrzuć sól lub dolej sosu sojowego do smaku. Na warzywach rozłóż wcześniej ugotowany ryż, wlej jeszcze 2 kubki wody, w tym wodę z moczenia grzybów. Całość gotuj ok. 15 minut, wymieszaj i podawaj risotto posypane zieloną pietruszką.

Potrawka z fasolki adzuki (3 porcje)

Składniki:

> 200 g fasolki

> 2 cm kombu bądź liścia wakame

> 1 szklanka brązowego ryżu (ok. 200 g)

> 3 łyżeczki oliwy z oliwek

> 1–2 cienko pokrojone cebule
> 1 fenkuł, cienko pokrojony
> chili mielone lub 1–2 suszone strączki
> kurkuma, cynamon, kardamon, kumin
> 4–5 średniej wielkości pomidorów pokrojonych w kostkę
> sól lub sos sojowy, czosnek i imbir, natka pietruszki

Namocz na noc 200 g fasolki. Rano wylej wodę z namaczania. Gotuj fasolkę w dużej ilości świeżej zimnej wody z dodatkiem 2 cm kombu bądź liścia wakame. Usuń pianę na początku gotowania. Przepłucz brązowy ryż (ok. 200 g), a potem zalej 3 szklankami wrzącej wody. Dodaj kombu lub wakame i doprowadź do wrzenia. Następnie gotuj ok. 60 minut na małym ogniu (czasami wystarczy 40 minut, by fasola była miękka, ale nierozgotowana). Po ugotowaniu fasolki i ryżu wlej na patelnię 3 małe łyżeczki oliwy z oliwek z pierwszego tłoczenia na zimno. Dodaj wyciśnięty lub pokrojony czosnek i imbir oraz 1 lub 2 cienko pokrojone cebule, a także 1 cienko pokrojony fenkuł. Następnie wsyp chili mielone lub 1–2 suszone strączki świeżego (uważaj, by danie nie było zbyt ostre). Dopraw szczyptą soli. Dorzuć 4–5 średniej wielkości pomidorów, pokrojonych w kostkę, trochę posiekanej pietruszki – 1–2 łyżki, szczyptę kurkumy i wszystko razem podsmaż. Następnie dodaj trochę cynamonu, np. pół łyżeczki, szczyptę kardamonu i/lub kuminu (kmin rzymski), wymieszaj. Podgrzewaj przez ok. 10 minut, po czym wyjmij strączki chili. Przed podaniem posyp pietruszką lub koperkiem.

Kasza lub ryż (3 porcje)

Składniki:

> 1 szklanka ryżu lub kaszy
> 3 szklanki wody
> kawałek kombu

Wsyp do garnka 1 szklankę ryżu lub kaszy i wypłucz w wodzie, tak by stała się przejrzysta. Potem zalej 3 szklankami wrzącej wody, dodaj kombu wielkości znaczka pocztowego, zagotuj i zmniejsz ogień. Podgrzewaj kaszę lub ryż ok. 30 minut pod pokrywką. Potrawa będzie gotowa, gdy woda wyparuje.

Do tego **duszone warzywa:**

Składniki:

> Wybierasz te, które lubisz, np.: paprykę, cykorię, cebulę, czosnek, bakłażan, seler lub marchew, por. Warzywa kroisz w kostkę, plasterki bądź słupki.

> 1-2 łyżki oliwy z oliwek z pierwszego tłoczenia na zimno

> czosnek, imbir, rozmaryn, tymianek (według upodobań)

> 3-4 łyżki wody

Wlej na patelnię 1-2 łyżki oliwy z oliwek z pierwszego tłoczenia na zimno i kolejno dodawaj czosnek, cebulę, paprykę i na koniec cukinię oraz przyprawy, np. rozmaryn, tymianek, majeranek. Wszystko krótko podsmaż na patelni, tak by warzywa troszkę zmiękły, ale zachowały chrupkość. Potem dolej 3-4 łyżki gorącej wody, przykryj pokrywką i chwilę duś. Ilość wody dostosuj do ilości warzyw. Potrawa ma być chrupka, w małej ilości sosu.

Kotlety z kaszy gryczanej i tofu (2 porcje)

Składniki:

> 1 szklanka ugotowanej kaszy gryczanej

> 100-120 g tofu (białe lub wędzone, wolne od GMO)

> pół średniego pora lub cebula

> 1 ząbek czosnku

> 2 łyżki kiszonej kapusty

> pół pęczka natki pietruszki

> sól, pieprz ziołowy, majeranek

> odrobina masła klarowanego do smażenia

> 1 łyżka sezamu

> 2 łyżki mąki pszennej razowej

Pokrój pora i zeszklij go na maśle. Dodaj wyciśnięty czosnek i posiekaną kapustę, duś jeszcze przez chwilę. Przekręć przez maszynkę kaszę, tofu, poduszony por z kapustą i czosnkiem, natkę (można też składniki drobno posiekać i wymieszać). Dopraw solą, pieprzem ziołowym i majerankiem. Obtaczaj kotlety w mące razowej wymieszanej z sezamem, usmaż z obu stron na rozgrzanym oleju. Koniecznie odsącz przed podaniem. Można smażyć kotlety bez panierki. Podawaj z dużą ilością ogórka małosolnego, pomidorka i pysznej cebulki.

Potrawy z ryb

Pieczona ryba z ziołami (1 porcja)

Składniki:

> 1 pstrąg lub dzwonko łososia czy dorsza

> tymianek, natka pietruszki (według upodobań)

> 1–2 ząbki czosnku

> 2–3 plasterki cytryny

> 1 łyżka soku z cytryny

> 1 łyżka oliwy z oliwek

> pieprz, sól

Nagrzej piekarnik do temperatury 220°C. Rybę połóż na papierze do pieczenia, posmaruj oliwą i posyp ziołami. Do środka pstrąga włóż zioła z czosnkiem, na wierzchu
rozłóż krążek cytryny, posyp pieprzem i niewielką ilością soli. Brzegi papieru szczelnie
zagnij, po czym możesz całość zawinąć w folię aluminiową, formując paczuszkę. Następnie ułóż ją na blasze i wstaw do nagrzanego piekarnika, piecz ok. 15–20 minut
– aż ryba będzie upieczona wewnątrz. Rybę ułóż na talerzach i podawaj z sałatką.

Pieczona ryba z ziołami i salsą (4 porcje)

Składniki:

> 800 g filetów z dorsza lub pstrąga

> 4 duże listki bazylii

> 1/3 szklanki wytrawnego białego wina

> 2 ząbki czosnku

> 1 bulwa kopru włoskiego

> 1/4 szklanki drobno posiekanego szczypiorku

> po 1/3 szklanki listków estragonu, bazylii i trybuli

> 30 g rukwi wodnej

> 1 łyżka soku z cytryny

> 1 łyżka oliwy z oliwek

Salsa:

> 1 mała czerwona papryka, pokrojona w drobną kostkę
> 2 łyżki pokrojonych w drobną kostkę czarnych oliwek
> 1 łyżka małych kaparów (opłukanych)
> 8 posiekanych filecików anchois
> 1/4 szklanki posiekanej bazylii
> 1 łyżka octu balsamicznego

Nagrzej piekarnik do temperatury 220°C. Do miseczki włóż czosnek, koper włoski i wymieszaj całość. Rybę pokrój na cztery porcje. Przygotuj 4 kawałki papieru, każdy posmaruj oliwą. Pośrodku połóż rybę, skórką do dołu. Na wierzchu rozłóż koper włoski, listek bazylii i krążek cytryny, posyp pieprzem i polej winem. Brzegi papieru połącz i szczelnie zamknij – formując paczuszkę. Całość można zawinąć w folię aluminiową. Paczuszki ułóż na blasze i wstaw do nagrzanego piekarnika, piecz ok. 15–20 minut – aż ryba będzie upieczona wewnątrz. Zioła wrzuć do miseczki, polej sosem z cytryny i oliwą. Sałatkę delikatnie wymieszaj. Wyjmij rybę z folii i ułóż na talerzach, na wierzchu rozłóż porcje salsy i podawaj z sałatką.

Łosoś z jajkiem i świeżymi warzywami[78] (4–6 porcji)

Składniki:

> 500 g pomidorów cherry
> sól morska i świeżo zmielony czarny pieprz
> kilka dużych liści bazylii
> drobno starta skórka z 1 cytryny
> 2–3 łyżki oliwy z oliwek
> 400 g młodych ziemniaków
> 200 g zielonej fasolki
> sałata rzymska
> 100 g czarnych oliwek bez pestek
> 500 g fileta z łososia
> wywar warzywny do gotowania łososia

Do przygotowania jajek:

> miękkie masło do smarowania foremek

> liście bazylii

> filety anchois

> 4–6 średnich jaj

Rozgrzej piekarnik do 180°C. Przekrój pomidorki na pół, umieść w misce i dopraw solą oraz pieprzem. Dodaj liście bazylii, skórkę z cytryny i trochę oliwy z oliwek. Wymieszaj i odstaw. W garnku z wrzącą osoloną wodą ugotuj ziemniaki (w całości). W tej samej wodzie sparz przez minutę zielony groszek. Filet z łososia włóż do naczynia z przygotowanym wcześniej wywarem warzywnym, dodaj pokrojoną cytrynę i świeże zioła, ugotuj płat łososia. Małe foremki lub filiżanki do espresso wysmaruj masłem, posyp solą i pieprzem. Wyłóż dużym listkiem bazylii i filetem anchois, następnie wbij jajko. Tak przygotowane foremki postaw na dużej metalowej formie i wlej gorącą wodę sięgającą do połowy foremek. Ostrożnie przenieś do rozgrzanego piekarnika (180°C) i gotuj przez ok. 6–8 minut, aż białka się zetną, a żółtko zostanie kremowe. Ugotowane wcześniej ziemniaki przekrój na pół i przyrumień na patelni na oliwie z oliwek. Gdy ziemniaki będą złotego koloru na płaskiej części, zdejmij je i dodaj zblanszowany zielony groszek. Dopraw solą i pieprzem, dorzucając warzywa przez kolejne 30 sekund, a następnie zdejmij z patelni. Na dużym półmisku rozłóż liście sałaty, na nie rozłóż podsmażone ziemniaki, fasolkę, pomidory i oliwki marynowane. Delikatnie nożem wyjmij jajka z foremek i od wewnętrznej strony, czyli listkiem do góry, umieść je na sałacie. Na koniec rozłóż ugotowanego łososia w dużych plastrach, bez skórki. Wszystko skrop cytryną, dodaj świeże kiełki i sos winegret, ewentualnie odrobinę majonezu, oraz pieprz i sól – podaj od razu po przygotowaniu.

Potrawy z drobiu

Kreolski kurczak ze szpinakiem i ryżem[79] (4 porcje)

Składniki:

> 1 szklanka nieugotowanego, brązowego ryżu

> 1/4 łyżeczki suszonego chili

> odrobina oliwy z oliwek
> 2 piersi kurczaka bez skóry i kości (najlepiej z hodowli ekologicznej)
> 1 pokrojony seler średniej wielkości
> 1 puszka pomidorów (bez soli)
> 30 g mrożonego szpinaku
> 1 szklanka niskosodowego (do 300 mg = 0,3 g sodu) sosu chili
> 1 posiekana cebula
> 1 duża, zielona papryka
> 2 ząbki czosnku
> 1 łyżka posiekanej świeżej bazylii lub 1 łyżeczka suszonej
> 1 łyżka zielonej pietruszki
> 1/4 łyżeczki suszonej czerwonej papryki

Ugotuj ryż, dodając do wody suszone chili. Posmaruj patelnię oliwą i usmaż na wolnym ogniu kurczaka pokrojonego na wąskie kawałki. Dodaj pozostałe składniki, doprowadź do wrzenia i duś przez ok. 10 minut. Potrawę połóż na ugotowanym ryżu.

Burgery z indyka ze szpinakiem[80] (5 porcji)

Składniki:

> 400–500 g piersi z indyka
> 300 g szpinaku (zimą mrożony)
> 1 cebula średniej wielkości, posiekana
> 2 łyżki zielonej pietruszki
> 1 łyżeczka sosu chili (ważne, by był ostry)
> majeranek, tymianek, rozmaryn, sól (według upodobań)

Posiekaj lub zmiel mięso z indyka, dodaj do niego zmielony lub rozdrobniony szpinak i cebulę. Wlej na masę sos chilli i uformuj 5 kotletów. Smaż je na patelni grillowej lub grillu po 7 minut z każdej strony, aż burgery zyskają rumiany, brązowy kolor. Podawaj z sałatami.

Słodkości bez nabiału i cukru

Marcepanowe kulki[81]

Składniki:

> 100 g obranych migdałów
> 1 łyżka słodu ryżowego
> 10 ml rumu
> kawa orkiszowa instant lub kakao

Zmiel migdały na mąkę w młynku do kawy. Przełóż do małej miski, dodaj słód i rum. Wymieszaj tak, by powstała gładka masa. Zrób z niej małe kulki, wielkości śliwek mirabelek, obtocz w kawie lub kakao i ułóż na talerzu.

Chrupki migdałowo-owsiane[82]

Składniki:

> po pół kubka płatków owsianych i migdałowych
> 2 łyżki słodu ryżowego

Upraż płatki owsiane i migdałowe na patelni na złoty kolor. Wyłącz gaz i dodaj słód. Wymieszaj i wyłóż do miski lub na talerz. Kiedy przestygną, możesz pokruszyć je rękoma i używać jako posypki do owoców, gotowanych jabłek lub jako przekąski.

Placek z płatków owsianych z jabłkami[83] (8 porcji)

Składniki:

Ciasto:

> 2 szklanki płatków owsianych
> 1,5 szklanki ciepłej wody

> po 1/4 szklanki orzechów lub migdałów oraz rodzynek i wiórków kokosowych
> szczypta soli
> ok. pół szklanki oleju z orzechów lub z oliwek albo słonecznikowego – tłoczonego na zimno

Na wierzch:

> 8–10 startych soczystych jabłek
> cynamon
> starta skórka z cytryny

Wymieszaj wszystkie składniki ciasta, oprócz oleju, w misce i odstaw na co najmniej 30 minut. Po tym czasie dodaj olej i zagnieć ciasto. Przełóż do naoliwionej foremki, tak by miało grubość 1 cm. Nie ugniataj. Na wierzch wyłóż starte jabłka wymieszane z cynamonem i skórką z cytryny. Wstaw do piekarnika nagrzanego do 175°C i piecz ok. 1 godziny.

Ciasto z marchwi (8 porcji)

Składniki:

> 1 filiżanka pełnej mąki pszennej lub orkiszowej do pieczenia
> 1 filiżanka mąki z brązowego ryżu
> pół łyżeczki soli morskiej
> po 1 łyżeczce kardamonu, cynamonu i startego imbiru
> 1 filiżanka soku jabłkowego lub kawy zbożowej
> 1/4 filiżanki posiekanych orzechów
> pół filiżanki namoczonych rodzynek
> 2 filiżanki tartej marchwi
> 2/3 filiżanki syropu klonowego lub słodu jęczmiennego (słód jest tańszy)

Wymieszaj razem wszystkie suche składniki. Dodaj pozostałe i dobrze wyrób ciasto rękami. Wyłóż na wysmarowaną olejem blachę do pieczenia. Wstaw do nagrzanego do 180°C piekarnika i piecz przez godzinę.

Koktajl owsiano-owocowy (2 porcje)

Składniki:

> 4 łyżki płatków owsianych
> 1 banan
> 250 g jagód, malin lub borówek amerykańskich (zimą mogą być inne dostępne owoce) – ten składnik można zamienić na 1 mango
> 1–3 łyżki mielonego siemienia lnianego
> pół szklanki mleka ryżowego lub sojowego niesłodzonego (z soi wolnej od GMO)
> garść orzechów laskowych lub pekan albo włoskich

Zalej płatki owsiane na noc gorącą wodą. Dodaj tyle wody, by została przez nie wchłonięta. Wszystkie składniki następnego dnia umieść w blenderze i zmiksuj.

Lody bananowo-orzechowe[84] (2 porcje)

Składniki:

> 2 pokrojone banany
> 1/3 kubka waniliowego mleka sojowego
> 15 g orzechów laskowych

Obierz banany ze skórki, pokrój na kilka części. Owiń folią do żywności i włóż do zamrażalnika na 24 godz. Przed podaniem wszystkie składniki zmiksuj za pomocą blendera na kremową masę.

Chleb na zakwasie

Składniki:

> pół kg mąki orkiszowej typ 1100 lub 1750 albo 2000
> pół kg mąki orkiszowej typ 750
> 1 l wody gazowanej

Wymieszaj wszystkie składniki drewnianą łyżką w plastikowej misce. Mąka może być za każdym razem różna, np. żytnia i orkiszowa lub żytnia i pszenna (im wyższy numer, tym mąka jest mniej oczyszczona).

Następnie dodaj do masy:

> po 3/4 szklanki siemienia lnianego oraz płatków owsianych lub jęczmiennych

> pół szklanki sezamu białego, nieoczyszczonego

> 3/4 szklanki pestek słonecznika

> 3/4 szklanki pestek dyni

> pół szklanki otrąb

Wszystkie te składniki dobrze wymieszaj i dodaj:

> zakwas

> 2 płaskie łyżeczki soli

> pół łyżeczki cukru

Następnie – po wymieszaniu – przykryj miskę ściereczką i odstaw na 10–12 godzin. Ja najczęściej robię ciasto wieczorem, a piekę chleb rano. Pamiętaj, by odłożyć zakwas na następne pieczenie (przechowujemy go w lodówce). Po 10–12 godzinach przygotuj dwie foremki – podłużne, wysmaruj je olejem i posyp mąką. Gdy już napełnisz je ciastem, wstaw do gorącego piekarnika, nagrzanego do temperatury 170°C. Piecz chleb ok. 1 godziny i 15 minut (do 1,5 godziny). Po upieczeniu wyjmij takie gorące bochenki na lniane ściereczki i zawiń je w nie. Ja przechowuję chleb właśnie w taki sposób. Jeśli dla kogoś mąka żytnia z pełnego wymiału jest zbyt mocna, to niech zastąpi ją orkiszową. Można też dodać mąkę z bezglutenowego amarantusa (do 200 g) i owsianą (do 200 g) – wtedy reszta to mąka z pełnego wymiału, np. orkiszowa typ 1850 lub 1100. Można eksperymentować też z mąką typ 2000.

Uczucia – potrzeby niezaspokojone[85]

Gdy nasze potrzeby NIE są zaspokojone, możemy być:

Apatyczni	Podenerwowani	Struchlali
Dotknięci	Podminowani	Struci
Głodni	Podrażnieni	Strwożeni
Markotni	Poirytowani	Udręczeni
Napięci	Poniżeni	Upokorzeni
Niekontenci	Przegrani	Urażeni
Nienasyceni	Przelękli	Wstrząśnięci
Niepocieszeni	Przerażeni	Wściekli
Nieradzi	Przestraszeni	Wygłodniali
Niespokojni	Przybici	Wylękli
Nieswoi	Przygaszeni	Wystraszeni
Nieszczęśliwi	Przygnębieni	Wzburzeni
Nieukontentowani	Przytłoczeni	Zaambarasowani
Niewyspani	Rozczarowani	Zacietrzewieni
Niezadowoleni	Rozdrażnieni	Zagniewani
Niezaspokojeni	Rozdygotani	Zakłopotani
Oburzeni	Rozeźleni	Zalęknieni
Odrętwiali	Rozgniewani	Załamani
Oklapnięci	Rozgoryczeni	Zaniepokojeni
Onieśmieleni	Rozjątrzeni	Zaperzeni
Osowiali	Rozjuszeni	Zasępieni
Otępiali	Rozsierdzeni	Zaskoczeni

Zasmuceni	Zdeprymowani	Zmartwieni
Zaszokowani	Zdesperowani	Zmiażdżeni
Zatroskani	Zdetonowani	Zmieszani
Zatrwożeni	Zdębiali	Znękani
Zawiedzeni	Zdruzgotani	Zniechęceni
Zawstydzeni	Zdumieni	Zniecierpliwieni
Zażenowani	Zdziwieni	Zniesmaczeni
Zbaraniali	Zgaszeni	Zobojętniali
Zbici z pantałyku	Zgnębieni	Zrażeni
Zbici z tropu	Zgorszeni	Zrozpaczeni
Zbolali	Zirytowani	Zszokowani
Zbulwersowani	Załamani	Źli
Zdegustowani	Złamani	
Zdenerwowani	Zmartwiali	

Uczucia – potrzeby zaspokojone[86]

Gdy nasze potrzeby są zaspokojone, możemy być:

Beztroscy	Pobudzeni	Rozpaleni
Chętni	Pocieszeni	Rozpromienieni
Czujni	Podbudowani	Rozradowani
Dociekliwi	Podekscytowani	Rozrzewnieni
Energiczni	Pogodni	Roztkliwieni
Kochający	Pokrzepieni	Rozweseleni
Kontenci	Poruszeni	Senni
Najedzeni	Promienni	Skoncentrowani
Nakręceni	Przejęci	Skupieni
Napici	Przyjacielscy	Spełnieni
Nasyceni	Radośni	Spokojni
Natchnieni	Radzi	Swobodni
Nieskrępowani	Rozanieleni	Syci
Oczarowani	Rozbawieni	Szczęśliwi
Olśnieni	Rozczuleni	Śmiali
Oniemiali	Rozentuzjazmowani	Ubawieni
Osłupiali	Rozgorzali	Ucieszeni
Oszołomieni	Rozgrzani	Ufni
Ożywieni	Rozkochani	Ukojeni
Pełni nadziei	Rozmiłowani	Ukontentowani
Pełni optymizmu	Roznamiętnieni	Uniesieni
Pełni werwy	Rozochoceni	Upojeni

Uradowani	Wzruszeni	Zaskoczeni
Usatysfakcjonowani	Zaabsorbowani	Zasłuchani
Uskrzydleni	Zaangażowani	Zauroczeni
Uspokojeni	Zachwyceni	Zbudowani
Uszczęśliwieni	Zaciekawieni	Zdopingowani
Wdzięczni	Zadowoleni	Zdumieni
Weseli	Zadurzeni	Zdziwieni
Witalni	Zafascynowani	Zelektryzowani
Wniebowzięci	Zainspirowani	Zmobilizowani
Wpatrzeni	Zainteresowani	Zrelaksowani
Wsłuchani	Zakochani	Życzliwi
Wyciszeni	Zapaleni	Żywi
Wylewni	Zapatrzeni	
Wyspani	Zaprzątnięci	

Literatura

ABC psychologicznej pomocy. Rezonans i dialog, pod red. J. Santorskiego, cz. 8, Jacek Santorski & CO, Warszawa 1993.

Aronson E., *Człowiek – istota społeczna*, tłum. J. Radzicki, Wydawnictwo Naukowe PWN, Warszawa 2000.

Aronson E., Wilson T. D., Akert R. M., *Psychologia społeczna. Serce i umysł*, tłum. A. Bezwińska, Zysk i S-ka, Poznań 1997.

Beck J. S., *Terapia poznawcza. Podstawy i zagadnienia szczegółowe*, tłum. M. Cierpisz, Wydawnictwo Uniwersytetu Jagiellońskiego, Kraków 2005.

Campbell J., *Bohater o tysiącu twarzy*, tłum. A. Jankowski, Zysk i S-ka, Poznań 1997.

Ciborowska H., Rudnicka A., *Dietetyka. Żywienie zdrowego i chorego człowieka*, Wydawnictwo Lekarskie PZWL, Warszawa 2009.

Clairborn J., Pedrick Ch., *Jak pokochać swój wygląd? Trening*, tłum. J. Mikołajczyk, Helion, Gliwice 2007.

Covey S. R., *7 nawyków skutecznego działania*, tłum. I. Majewska-Opiełka, Medium, Warszawa 1996.

Craighead W. L., *Jak opanować wilczy apetyt? Trening*, tłum. I. Szybilska, Helion, Gliwice 2007.

Csikszentmihalyi M., *Przepływ. Psychologia optymalnego doświadczenia*, tłum. M. Wajda-Kacmajor, Biblioteka Moderatora, Taszów 2005.

Dilts R., Smith S., Hallbom T., *Przekonania. Ścieżki do zdrowia i dobrobycia*, tłum. W. Sikorski, N. Włodarska, E. Kowalik, METAmorfoza, Wrocław 2005.

De Mello A., *Przebudzenie*, tłum. B. Moderska, T. Zysk, Zysk i S-ka, Poznań 1996.

Dufty W., *Sugar Blues. Zniewoleni przez cukier*, tłum. A. Hofman, HITO, Szczecin 2005.

Eichelberger W., *Pomóż sobie, daj światu odetchnąć*, TU Agencja Wydawnicza, Warszawa 1995.

Eichelberger W., *Zatrzymaj się*, Jacek Santorski & CO, Warszawa 2000.

Eichelberger W., Forthomme P., Nail F., *QUEST. Twoja droga do sukcesu*, Jacek Santorski & CO, Warszawa 2007.

Fijewska-Król M., *Trening asertywności*, Instytut Psychologii Zdrowia i Trzeźwości, Warszawa 1993.

Fijewski P., *Jak rozwinąć skrzydła*, W.A.B., Warszawa 2005.

Furhman J., *Eat to live, book one and two*, Little, Brown and Company, Nowy Jork 2010.

Gallwey T. W., *Tenis: wewnętrzna gra*, tłum. R. Madejczyk, ParaFraza, Pszczyna 2006.

Gauntlett-Gilbert J., *Przezwyciężenie problemów z wagą*, tłum. M. Klimaszewska, Alliance Press, Gdynia 2007.

Gessler M., *Kuchnia Marty. Kolory smaków*, Publicat, Poznań 2007.

Goleman D., *Inteligencja emocjonalna*, tłum. A. Jankowski, Media Rodzina, Poznań 2007.

Goleman D., Boyatzis R., McKee A., *Naturalne przywództwo. Odkrywanie mocy inteligencji emocjonalnej*, tłum. D. Cieśla, Jacek Santorski – Wydawnictwa Biznesowe, Wrocław – Warszawa 2002.

Hanh T. N., *Cud uważności. Zen w sztuce codziennego życia*, tłum. G. Draheim, Jacek Santorski & CO, Warszawa 2008.

Hofman A., *Cafe CREDO*, HITO, Szczecin 2010.

Houston G., *Gestalt. Terapia krótkoterminowa*, tłum. O. Waśkiewicz, GWP, Gdańsk 2006.

Jack A., Jack G., *Przeżuwanie ułatwia życie*, tłum. D. Małecka, A. Hofman, HITO, Szczecin 2006.

Psychologia. Podręcznik akademicki. Jednostka w społeczeństwie i elementy psychologii stosowanej, t. 3, pod red. J. Strelaua, GWP, Gdańsk 2000.

Kessler A. D., *The end of overeating*, Penguin Books, Nowy Jork 2009.

Lindenfield G., *Asertywność*, tłum. M. Włoczysiak, Ravi, Łódź 1996.

Lowen A., *Duchowość ciała*, tłum. S. Sikora, Jacek Santorski & CO, Warszawa 1990.

Lowen A., Lowen L., *Droga do zdrowia i witalności: podręcznik ćwiczeń bioenergetycznych*, tłum. J. Olchowik, Ośrodek Bioenergetycznej Pracy z Ciałem, Koszalin 2011.

Maurer R., *Filozofia kaizen. Jak mały krok może zmienić Twoje życie*, tłum. C. Makowski, Helion, Gliwice 2007.

McKeith J., *Jesteś tym, co jesz*, tłum. N. Tomasz, Dom Wydawniczy REBIS, Poznań 2005.

McLeod A., *Mistrz coachingu. Podręcznik dla menedżerów, HR-owców i trenerów. Coaching bez tajemnic*, tłum. M. Witkowska, Helion, Gliwice 2008.

Mearns D., Thorne B., *Terapia skoncentrowana na osobie*, tłum. M. Cierpisz, Wydawnictwo Uniwersytetu Jagiellońskiego, Kraków 2010.

Miller R. W., Rollnick S., *Wywiad motywujący. Jak przygotować ludzi do zmiany*, tłum. A. Pokoiska, Wydawnictwo Uniwersytetu Jagiellońskiego, Kraków 2010.

Nelissen W., *Smaki świata w kuchni makrobiotycznej*, tłum. A. Hofman, HITO, Szczecin 2004.

O'Neill B. M., *Coaching dla kadry menedżerskiej*, tłum. A. Sawicka-Chrapkowicz, Dom Wydawniczy REBIS, Poznań 2007.

Papadopoulos L., *Lustereczko, powiedz przecie…*, tłum. M. Cierpisz, Znak, Kraków 2005.

Pitchford P., *Odżywianie dla zdrowia. Tradycje wschodnie i nowoczesna wiedza o żywieniu*, tłum. I. Zagroba, Galaktyka, Łódź 2009.

Preston J., *Zintegrowana terapia krótkoterminowa*, tłum. S. Pikiel, GWP, Gdańsk 2005.

Psychoterapia. Teoria. Podręcznik akademicki, pod red. L. Grzesiuk, ENETEIA, Warszawa 2005.

Robbins Eshelman E., Davis M., McKay M., *Jak zwalczyć stres i osiągnąć pełen relaks?*, tłum. M. Kowalczyk, Helion, Gliwice 2007.

Rosenberg B. M., *Porozumienie bez przemocy. O języku serca*, tłum. M. Kłobukowski, Jacek Santorski & CO, Warszawa 2003.

Rosenberg B. M., *Rozwiązywanie konfliktów poprzez porozumienie bez przemocy*, tłum. B. Wyczesany, Jacek Santorski & CO, Warszawa 2008.

Słownik wyrazów obcych PWN, pod red. B. Pakosz i in., Wydawnictwo Naukowe PWN, Warszawa 1993.

Sparks R. W., *Istota poczucia własnej wartości*, tłum. T. Niwiński, Ravi, Łódź 1994.

Stanowisko Amerykańskiego Towarzystwa Dietetycznego na temat kontroli masy ciała, „Journal of the American Dietetic Association" 1997, nr 1.

Szuszczewicz D., *Diet coaching jako proces dążący do trwałej zmiany stylu życia* (praca magisterska), Akademia Leona Koźmińskiego w Warszawie, Warszawa 2011.

Sztander W., *Rozmowy, które pomagają*, Instytut Psychologii Zdrowia PTP, Warszawa 1999.

Servan-Schreiber D., *Antyrak. Nowy styl życia*, tłum. P. Amsterdamski, G. Kołodziejczyk, Albatros A. Kuryłowicz, Warszawa 2008.

Thorpe S., Clifford J., *Podręcznik coachingu*, tłum. A. Sawicka-Chrapkowicz, Dom Wydawniczy REBIS, Poznań 2007.

Vopel W. K., *Zabawy interakcyjne część 6*, tłum. E. Dziewięcka, E. Martyna, Jedność, Kielce 1999.

Waxman M., Dirks M., *Mniam, mniam w brzuszku mam. Prosta dieta organiczna dla dzieci*, tłum. A. Hofman, HITO, Szczecin 2006.

Wielki słownik poprawnej polszczyzny, pod red. A. Markowskiego, Wydawnictwo Naukowe PWN, Warszawa 2006.

Williams M., Teasdale J., Segal Z., Kabat-Zinn J., *Świadomą drogą przez depresję. Wolność od chronicznego cierpienia,* tłum. P. Listwan, Czarna Owca, Warszawa 2009.

Yalom D. I., *Dar terapii: List otwarty do nowego pokolenia terapeutów i pacjentów,* tłum. A. Tanalska-Dulęba, Instytut Psychologii Zdrowia PTP, Warszawa 2003.

Yalom D. I., *Psychoterapia egzystencjalna,* tłum. A. Tanalska-Dulęba, Instytut Psychologii Zdrowia PTP, Warszawa 2008.

Żywienie człowieka a zdrowie publiczne, pod red. J. Gawędzkiego, t. 3, Wydawnictwo Naukowe PWN, Warszawa 2009.

Przypisy

[1] Caroll L., *Alicja w krainie czarów. Po drugiej stronie lustra*, Vesper, Poznań 2010, s. 89.

[2] Na podstawie: Goleman D., Boyatzis R., McKee A., *Naturalne przywództwo. Odkrywanie mocy inteligencji emocjonalnej*, tłum. D. Cieśla, Jacek Santorski – Wydawnictwa Biznesowe, Wrocław – Warszawa 2002, s. 140.

[3] Na podstawie: Pitchford P., *Odżywianie dla zdrowia. Tradycje wschodnie i nowoczesna wiedza o żywieniu*, tłum. I. Zagroba, Galaktyka, Łódź 2009, s. 68–69.

[4] *Żywienie człowieka a zdrowie publiczne*, pod red. J. Gawędzkiego, W. Roszkowskiego, t. 3, Wydawnictwo Naukowe PWN, Warszawa 2009, s. 14.

[5] Na podstawie: Ciborowska H., Rudnicka A., *Dietetyka. Żywienie zdrowego i chorego człowieka*, PZWL, Warszawa 2009; Pitchford P., *Odżywianie dla zdrowia…*

[6] Na podstawie: Ciborowska H., Rudnicka A., *Dietetyka…*; Pitchford P., *Odżywianie dla zdrowia…*

[7] Ciborowska H., Rudnicka A., *Dietetyka…*, s. 62.

[8] Tamże, s. 62.

[9] Tamże, s. 65.

[10] Na podstawie: Pitchford P., *Odżywianie dla zdrowia…*, s. 232–234.

[11] Na podstawie: McKeith J., *Jesteś tym, co jesz*, tłum. N. Tomasz, Dom Wydawniczy Rebis, Poznań 2005, s. 94–95.

[12] Na podstawie: www.ars.usda.gov/SP2UserFiles/Place/12354500/Data/ORAC/ ORAC_R2.pdf (stan na 15 lutego 2012 r.).

[13] Na podstawie: Ciborowska H., Rudnicka A., *Dietetyka…*; Pitchford P., *Odżywianie dla zdrowia…*

[14] Pitchford P., *Odżywianie dla zdrowia…*, s. 165.

[15] Tamże.

[16] Tamże, s. 582.

[17] Na podstawie: Ciborowska H., Rudnicka A., *Dietetyka…*; Pitchford P., *Odżywianie dla zdrowia…*

[18] Pitchford P., *Odżywianie dla zdrowia…*, s. 198–200.

[19] Tamże.

[20] Tamże, s. 206–207.

[21] Na podstawie: Vopel W. K., *Zabawy interakcyjne część 6*, tłum. E. Dziewięcka, E. Martyna, Wydawnictwo Jedność, Kielce 1999, s. 16–18.

[22] Szuszczewicz D., *Diet coaching jako proces dążący do trwałej zmiany stylu życia* (praca magisterska), Akademia Leona Koźmińskiego w Warszawie, Warszawa 2011, s. 36.

[23] Tamże, s. 37.

[24] Tamże.

[25] Tamże.

[26] Tamże, s. 39.

[27] Tamże, s. 40.

[28] Na podstawie: www.massgeneral.org/bhi/basics/managing/busters.aspx (stan na 2 grudnia 2011 r.). Spośród 38 wymienionych tam sposobów radzenia sobie ze stresem przytaczam 29.

[29] Na podstawie: Pitchford P., *Odżywianie dla zdrowia...*

[30] Tamże, s. 204.

[31] Tamże, s. 313.

[32] Na podstawie Furhman J., *Eat to live, book one and two*, Little, Brown and Company, Nowy Jork 2010; Pitchford P., *Odżywianie dla zdrowia...*

[33] Na podstawie: www.focus.pl/newsy/zobacz/publikacje/nasze-talerze-rosna (stan na 15 lutego 2012 r.).

[34] Na podstawie: Gauntlett-Gilbert J., *Przezwyciężenie problemów z wagą*, tłum. M. Klimaszewska, Alliance Press, Gdynia 2007.

[35] Zob. tamże.

[36] Tamże, s. 1–6.

[37] Tamże, s. 8–9.

[38] Na podstawie: Dilts R., Smith S., Hallbom T., *Przekonania. Ścieżki do zdrowia i dobrobycia*, tłum. W. Sikorski, N. Włodarska, E. Kowalik, METAmorfoza, Wrocław 2005.

[39] Zob. tamże.

[40] Na podstawie: Aronson E., Wilson T. D., Akert R. M., *Psychologia społeczna. Serce i umysł*, tłum. A. Bezwińska, Wydawnictwo Zysk i S-ka, Poznań 1997.

[41] Na podstawie: Sparks R. W., *Istota poczucia własnej wartości*, tłum. T. Niwiński, Ravi, Łódź 1994.

[42] Na podstawie: Yalom D. I., *Psychoterapia egzystencjalna*, tłum. A. Tanalska-Dulęba, Instytut Psychologii Zdrowia PTP, Warszawa 2008.

[43] Tamże, s. 226.

[44] Tamże.

[45] Tamże, s. 252.

[46] Tamże.

[47] Na podstawie: Jack A., Jack G., *Przeżuwanie ułatwia życie*, tłum. D. Małecka, A. Hofman, HITO, Szczecin 2006.

[48] Tamże, s. 7–8.

[49] Tamże, s. 13–14.

[50] Na podstawie: Williams M., Teasdale J., Segal Z., Kabat-Zinn J., *Świadomą drogą przez depresję. Wolność od chronicznego cierpienia*, tłum. P. Listwan, Czarna Owca, Warszawa 2009; Hanh T. N., *Cud uważności. Zen w sztuce codziennego życia*, tłum. G. Draheim, Jacek Santorski & CO, Warszawa 2008.

[51] Na podstawie: Williams M., Teasdale J., Segal Z., Kabat-Zinn J., *Świadomą drogą…*

[52] De Mello A., *Przebudzenie*, tłum. B. Moderska, T. Zysk, Wydawnictwo Zysk i S-ka, Poznań 1996, s. 159–160.

[53] Tamże, s. 170–171.

[54] Na podstawie: Benson-Henry Institute for Mind Body Medicine at Massachusetts General Hospital – www.massgeneral.org/bhi/basics/managing/mindfulness. aspx (stan na 14 lutego 2012 r.).

[55] Na podstawie: Lowen A., *Duchowość ciała*, tłum. S. Sikora, Jacek Santorski & CO, Warszawa 1990, s. 40.

[56] *Wielki słownik poprawnej polszczyzny*, pod red. A. Markowskiego, t. 1, A–P, Wydawnictwo Naukowe PWN, Warszawa 2006, s. 343.

[57] Na podstawie: Lowen A., *Duchowość ciała…*; Lowen A., Lowen L., *Droga do zdrowia i witalności: podręcznik ćwiczeń bioenergetycznych*, Ośrodek Bioenergetycznej Pracy z Ciałem, Koszalin 2011; *ABC psychologicznej pomocy. Rezonans i dialog*, pod red. J. Santorskiego, cz. 8, Jacek Santorski & CO, Warszawa 1993.

[58] Na podstawie: Papadopoulos L., *Lustereczko, powiedz przecie…*, Znak, Kraków 2005.

[59] *Słownik wyrazów obcych PWN*, pod red. B. Pakosz i in., Wydawnictwo Naukowe PWN, Warszawa 1993, s. 234.

[60] Goleman D., *Inteligencja emocjonalna*, tłum. A. Jankowski, Media Rodzina, Poznań 2007, s. 461–462.

[61] Na podstawie: Craighead. W. L., *Jak opanować wilczy apetyt? Trening*, tłum. I. Szybilska, Helion, Gliwice 2007, s. 84.

[62] Na podstawie: Furhman J., *Eat to live, book one and two*, Little, Brown and Company, Nowy Jork 2010.

[63] Na podstawie: Kessler A. D., *The end of overeating*, Penguin Books, Nowy Jork 2009.

[64] Ciborowska H., Rudnicka A., *Dietetyka…*, s. 20, 23.

[65] Nelissen W., *Smaki świata w kuchni makrobiotycznej*, tłum. A. Hofman, HITO, Szczecin 2004, s. 27.

[66] Gessler M., *Kuchnia Marty. Kolory smaków*, Publicat, Poznań 2007, s. 98.

[67] Furhman J., *Eat to live…*, s. 173–174.

[68] Tamże, s. 173.

[69] Tamże, s. 179.

[70] Nelissen W., *Smaki świata…*, s. 15.

[71] Tamże, s. 22.

[72] Furhman J., *Eat to live…*, s. 188.

[73] Nelissen W., *Smaki świata…*, s. 18 i 78.

[74] Furhman J., *Eat to live…*, s. 122.

[75] Tamże.

[76] Tamże, s. 134.

[77] Nelissen W., *Smaki świata...*, s. 60.

[78] Ramsay G., *Kuchnie świata*, Warszawa 2010, s. 111.

[79] Furhman J., *Eat to live...*, s. 183.

[80] Tamże, s. 199.

[81] Hofman A., *Cafe CREDO*, HITO, Szczecin 2010, s. 33.

[82] Tamże, s. 35.

[83] Tamże, s. 49.

[84] Furhman J., *Eat to live...*, s. 259.

[85] Rosenberg B. M., *Porozumienie bez przemocy. O języku serca*, tłum. M. Kłobukowski, Jacek Santorski & CO, Warszawa 2003, s. 53.

[86] Tamże, s. 52.

Notatki

Notatki